D1547665

« JE SUIS LE MÉCHANT ! »

WAJDI MOUAWAD

avec la collaboration de
SOPHIE LÉTOURNEAU

« Je suis le méchant ! »
Entretiens avec André Brassard

LEMÉAC

Photographie de la couverture : André Brassard devant un poster de Jean Genet. © D. R.

Leméac Éditeur remercie le ministère du Patrimoine canadien, le Conseil des arts du Canada, la Société de développement des entreprises culturelles du Québec (SODEC) et le Programme de crédit d'impôt pour l'édition de livres du Gouvernement du Québec (Gestion SODEC) du soutien accordé à son programme de publication.

ISBN 2-7609-0393-1

4609, rue d'Iberville, 3ᵉ étage, Montréal (Québec) H2H 2L9
Dépôt légal – Bibliothèque nationale du Québec, 3ᵉ trimestre 2004

Imprimé au Canada.

AVANT-PROPOS

Les entretiens avec André Brassard ont débuté, en ce qui me concerne, en 1993, alors que j'étais égaré, perdu, sans repères. Bien qu'il ne me connaissait pas, qu'il n'avait rien lu ou vu de mon travail, d'instinct, mot qu'il répétera très souvent au cours de nos discussions, il m'a offert de faire une mise en scène avec les élèves de l'École nationale de théâtre, dont il était encore le directeur. De cette mise en scène, mon amour pour le théâtre va prendre forme et sens. Cela, je le dois à André Brassard. Peu de gens vous apprennent la gratuité et l'insouciance.

Ma génération en ce sens est bénie. Elle a eu la chance d'être formée et rigoureusement inspirée par celui qui, encore, a donné au théâtre québécois, avec ses amis auteurs, Tremblay, Chaurette, Bouchard, Beckett, Tchekhov et surtout Genet, ses lettres de noblesse. S'il n'a pas tout réussi, comme il le dit, il aura permis de s'approprier le répertoire national et international en le dégageant de son caractère colonialiste ou nationaliste, pour le mener, coûte que coûte, vers la poésie, voyant dans les personnages un reflet de toute l'humanité. Le metteur en scène québécois pouvait alors dialoguer avec l'univers.

Parler avec André, c'est parler de l'être blessé et effrayé, mais parler avec Brassard, c'est parler avec le théâtre, là où le théâtre se fait peur à lui-même à force de rage, de colère et de liberté. L'idée de ces entretiens est née le jour où, alors que nous préparions, pour le Théâtre de Quat'Sous, le travail autour de sa mise en scène d'*Impératif présent* de Michel Tremblay, il m'a avoué sa fatigue et sa peur de ne plus se voir engagé par les théâtres pour faire des spectacles. « J'aurais tant de choses encore à dire. » Je lui ai proposé de parler de théâtre, sachant bien que cela allait, comme d'habitude, nous mener à droite et à gauche, faire non pas du coq-à-l'âne, mais de l'autruche-au-mammouth. Il y avait, pour moi du moins, un trouble profond à voir un artiste aussi important qu'André Brassard confiné à cette situation difficile, car aujourd'hui, à la suite d'un accident cérébro-vasculaire qui lui a enlevé une partie de sa mobilité mais rien de sa lucidité et rien de l'acuité de sa pensée, André Brassard tente de trouver un sens à son existence, lui qui a, toute sa vie, traqué le sens du texte pour en tirer un spectacle. Il y a, dans sa situation, une métaphore de la manière avec laquelle on considère l'art au Québec. Une maladie qui nous oblige à l'immobilité, et nous impose un épuisement dès qu'il s'agit d'articuler une pensée. Au même titre que la maladie de Claude Jutra peut être vue comme un signe de notre incapacité à nous souvenir de nos mythes et de nos fondements, celle d'André Brassard nous rappelle notre peur de la pensée et notre effroi devant la colère de la beauté. En ce sens, André Brassard continue d'être la sonde de nos tricheries, jusqu'à sa propre situation, qui lui échappe, et l'oblige à une constante tension entre lui et le monde.

Il s'agit d'un misanthrope aimant le monde avec une force et une passion déchirantes qui l'obligent à se tenir à l'écart. Il faisait souvent froid lorsque nous discutions ensemble cet hiver. Souvent une lumière violente tombait des fenêtres et allait éclairer son regard tranchant, depuis longtemps fissuré par les lames de la clairvoyance. Certains s'en approchent et font très mal à leur société. De leur corps, il ne reste qu'une flamme, un embrasement. André Brassard s'approche toujours de cette flamme au risque de se brûler les ailes. Qu'importent les ailes, dira-t-il, et il a raison. Lorsque je le quittais, je pensais souvent à cette phrase, gravée sur la tombe de Tarkovski : « Celui qui a vu l'ange. » Qui a dit qu'un ange ne pouvait pas, aussi, être le méchant ?

Wajdi Mouawad

Tout commence toujours par une rencontre.

C'était janvier et il faisait impitoyablement froid. À l'université, on demandait une stagiaire dans une maison d'édition. Je suis allée à l'entrevue. J'ai vu Wajdi Mouawad à une table. Il m'a parlé du projet et j'ai dit oui, oui, oui. À Wajdi Mouawad, on ne peut que dire oui.

En février, je suis allée chez André Brassard pour la première fois. On s'est prosternés, Wajdi Mouawad et moi, pour enlever nos bottes. Je suis entrée et j'ai eu l'impression d'être dans un musée vivant. Un bateau, une mouette, une grosse femme, Jean Genet. Un poster des *Feluettes*. Des livres et des cassettes vidéo. Onze rencontres à les écouter dans un fauteuil jaune élimé.

Je suis là, je ne suis pas là. Parfois, André Brassard m'interpelle, m'appelle « l'universitaire », me regarde en coin puis retourne à Wajdi, Wajdi qui pose toutes sortes de questions à André pour le faire parler. J'ai été en contact, pendant ces rencontres, avec une pensée exigeante et concrète. Teinté d'indignation, un rapport profond au théâtre et à l'homme. J'ai eu la chance d'entendre Brassard parler, d'entendre Wajdi Mouawad aussi. La chance d'être là pour écouter.

De février à mai, j'ai vécu dans l'attente de ces éclats, de ces moments lumineux qui au cours des rencontres me faisaient relever la tête pour mieux savourer. Comme le dit André Brassard du théâtre, ce livre est à boire « comme du lait Carnation », du concentré de vie. Je crois qu'André Brassard, comme Antonin Artaud, donne

9

plus à lire qu'une réflexion sur le théâtre : il bouscule notre conception de la vie. Sa finesse, ses emportements, son athéisme artistique, sa sensibilité d'artisan, sa rigueur, son refus de fermer les portes, les possibilités, sa volonté de chercher le sens, sa témérité, son souci des élèves, des acteurs, de la société, de l'humanité, donnent forme à son instinct et donnent à penser. Sa conception du théâtre « culinaire » retire le théâtre de la théorie, de la « sémiologie », pour le replacer dans la chimie alimentaire, c'est-à-dire dans la matière et la vie.

Mouawad a raconté sa rencontre avec Brassard. Brassard racontera, dans ce livre, les rencontres qui l'ont porté. À la fin de ce livre, vous l'aurez rencontré.

Tout commence par une rencontre.

Sophie Létourneau

Ce n'est pas le critique qui compte ; pas celui qui montre comment trébuche l'homme fort ou comment l'acteur aurait pu faire mieux. Le crédit revient à l'homme qui est réellement dans l'arène, dont le visage est souillé par la poussière, la sueur et le sang ; qui lutte vaillamment ; qui fait et refait des erreurs et des fautes ; parce qu'il n'existe pas d'effort sans erreurs ni fautes ; mais qui se bat réellement pour accomplir les actes, qui connaît les grands enthousiasmes, les grands dévouements ; qui se dépense pour une noble cause ; qui au mieux connaîtra à la fin le triomphe du bel accomplissement et qui au pire, s'il échoue, échouera pour le moins en osant noblement, de sorte que sa place ne sera jamais avec ces esprits froids et timorés qui ne connaissent ni victoire ni défaite.

Theodore Roosevelt, 1910

PERSONNAGES

André Brassard. Fin de la cinquantaine. Metteur en scène. Pensée aiguë, voix incertaine et élocution difficile. Regard incisif. Celui qui répond.

Wajdi Mouawad. La trentaine. Auteur. Pensée complexe. Voix hésitante, regard flou. Écoute profonde. Celui qui questionne.

Sophie Létourneau. La vingtaine. Universitaire. Ne dit pas un mot, mais n'en pense pas moins. Délicate et impitoyable. Celle qui retranscrit.

1

« JE SUIS LE MÉCHANT ! »

Dans l'appartement d'André Brassard. Temps glacial à l'extérieur. Le froid griffe les grandes vitres donnant sur une ville de poudrerie et de tempête. André, assis à sa table, observe, sourire narquois aux lèvres, Wajdi Mouawad et Sophie Létourneau qui démêlent le fil du micro avec celui de l'enregistreuse. Il accompagne leurs efforts par des commentaires ironiques d'admiration face à cette technologie. Il émet des « haaa ! » et des « ohhh ! ». Tout le monde s'installe finalement. Il y a un silence. Sophie allume l'enregistreuse. André allume une cigarette, Wajdi ouvre un cahier de notes. Une photo de Jean Genet au fond, tout au fond du salon.

WAJDI MOUAWAD. André Brassard. Je dis ton nom parce que c'est un nom qui évoque non seulement une période capitale dans l'histoire de la culture au Québec et une aventure théâtrale de quarante ans, mais aussi un état d'esprit dans la manière de faire du théâtre. Surtout, il est associé, ce nom, le tien, à la mise en scène.

Au Québec, nous avons encore la chance de discuter avec les hommes et femmes qui ont fondé nos théâtres et avec ceux qui ont contribué à défendre l'idée de la mise en scène comme un art, comme un événement moderne et majeur. Je pense à toi, bien sûr, mais je pense aussi à Paul Buissonneau. Je pense à Jean-Pierre Ronfard qui vient de nous quitter mais qui est encore très présent auprès de tous ceux qui s'intéressent au théâtre, sans compter que beaucoup de personnes peuvent témoigner de manière aiguë de son travail, tout comme il existe encore une génération de comédiens qui peut témoigner de celui de Jean Gascon. Buissonneau, Ronfard, Gascon et Brassard : ce sont là les noms qui ont fait naître la mise en scène au Québec. Aujourd'hui, nous pouvons dire que Robert Lepage et Denis Marleau ont pris le relais et continuent de réinventer ce métier, influençant, à leur tour, de nouvelles générations, celle d'Éric Jean et Frédéric Dubois.

L'entretien que nous ferons ensemble, je l'imagine alors comme une discussion, une réflexion, sur la mise en scène. Comment en vient-on un jour à faire de la mise en scène et comment évolue-t-on à l'intérieur de cette idée de la mise en scène ? Si les metteurs en scène de mon âge peuvent citer ton nom et celui de Lepage comme étant leurs sources d'inspiration, comment devient-on metteur en scène lorsque l'on ne peut citer personne qui était là avant nous ? Comment devenait-on metteur en scène à une époque où la mise en scène était simplement une mise en place des choses, souvent orchestrée par l'acteur principal ; une époque où l'on ne pouvait pas imaginer que la forme donnée à un spectacle puisse être importante ?

Tu as dirigé des théâtres, tu as dirigé une école de théâtre, tu as surtout dirigé des acteurs, des scénographes, des costumiers, des éclairagistes, des sonorisateurs, tu as guidé des auteurs, créant souvent leur premier texte, tu as voyagé à l'intérieur du théâtre, de spectacle en spectacle. Alors, puisqu'il faut avoir une première question, j'avais envie de te demander comment on en vient, un jour, à se dire : « Je ferai de la mise en scène » ? Comment en es-tu venu à te dire que tu serais metteur en scène à une époque où ce métier n'existait pas encore ?

ANDRÉ BRASSARD. On ne se dit pas ça. Je voulais, depuis très tôt, pour des raisons obscures et évidentes, être acteur. J'ai commencé par faire des pièces à la petite école. Puis je suis allé chez madame Audet, qui enseignait la diction.

J'ai rencontré des gens de mon âge qui avaient le même désir que moi de devenir acteur. Alors, tranquillement, j'ai eu envie de faire des spectacles avec eux. Voilà. Comme je lisais plus que les autres, j'imagine que c'était moi qui arrivais avec les projets. J'ai déjà dit, en boutade, mais c'est sans doute vrai, que j'ai commencé à faire de la mise en scène sans savoir ce que c'était et que je continuerais à en faire même quand je ne saurais pas.

WAJDI MOUAWAD. Tu dis « tranquillement » et ça évoque cette époque où même la révolution était tranquille. Peut-on dire que tout cela a commencé pour toi au début des années 1960 ?

ANDRÉ BRASSARD. J'ai commencé à fréquenter le théâtre comme spectateur en janvier 1959.

WAJDI MOUAWAD. Et comment considérait-on, à cette période, l'art de la mise en scène ?

ANDRÉ BRASSARD. Ce n'était pas très valorisé, ce n'était même pas payé. Les seuls metteurs en scène dont je me souvienne étaient des directeurs de compagnie également acteurs. Je pense à Jean Gascon, à Jean-Louis Roux, à Paul Buissonneau. Ça me semblait surtout un métier pour les vieux. Un métier auquel on accédait après plusieurs années de labeur.

WAJDI MOUAWAD. Lorsque tu assistais à leurs spectacles, est-ce que leur « mise en scène » te marquait, t'intéressait ?

ANDRÉ BRASSARD. On parlait rarement de la mise en scène, des choix. C'était un travail d'artisan. L'émerveillement, c'était de s'asseoir au théâtre et de voir du monde vivre. Ce sont davantage les acteurs qui m'ont marqué, au début.

WAJDI MOUAWAD. Qu'est-ce que le théâtre, en le vivant comme spectateur et comme acteur, t'apportait ?

ANDRÉ BRASSARD. Il me faisait exister. Je n'étais pas très bon dans autre chose. Enfin, j'aurais sans doute pu, j'étais assez bon élève, mais rien d'autre ne m'intéressait. Je n'avais pas envie d'apprendre ce qu'on nous montrait à l'école. Alors je foxais. J'ai passé une couple d'années à foxer l'école, à aller porter mon sac le matin dans mon casier avant de partir traîner, voler des livres, puis courir un peu la galipotte, ou le « galipot », devrais-je dire. Je revenais chercher mon sac à la fin de la journée. Comme j'étais assez doué, les professeurs étaient indulgents.

WAJDI MOUAWAD. Que lisais-tu à cette période-là ?

ANDRÉ BRASSARD. Je lisais Bob Morane, entre autres. Je n'avais pas encore découvert la littérature. Mais le théâtre a toujours été là, même si c'était une chose que je ne connaissais pas beaucoup. Ma mère m'y amenait. Elle connaissait un prêtre qui était administrateur du Gesù. Ainsi, quand il y avait des spectacles dits « pour toute la famille », on avait des billets.

WAJDI MOUAWAD. Le fait de voir du théâtre à cet âge-là, est-ce que c'est précisément cela qui t'a donné envie d'en faire ?

ANDRÉ BRASSARD. Tu sais, les choses nous arrivent mélangées… Quand j'étais en septième année, un professeur nous a un jour dit : « Le vendredi après-midi, vous pouvez faire du théâtre, ceux qui le veulent. » Je ne me suis pas fait prier. J'ai fouillé dans la bibliothèque de mon grand-père, qui ne contenait, de théâtre, que les œuvres complètes de Racine dans la collection « Nelson », des petits livres rouges. J'ai pris la première scène qui m'a sauté aux yeux, l'ouverture de *La Thébaïde* :

> *Ô toi soleil, ô toi qui rends le jour au monde*
> *Que ne l'as-tu laissé dans une nuit profonde*

À de si noirs forfaits prêtes-tu tes rayons
Et peux-tu sans horreur voir ce que nous voyons.

J'ai présenté l'extrait avec un copain de classe. Comme décor, j'avais ramassé les rideaux mauves de ma grand-mère. Je m'étais fait ce que je pensais être un drapé grec et j'avais dessiné, sur le tableau, des remparts. Et pour bien montrer qu'on était en Grèce, j'avais fouillé dans le dictionnaire et j'avais reproduit le drapeau de la Grèce moderne. J'avais été le seul de la classe à faire ça. Comme le professeur m'avait félicité, au cours de la deuxième session, j'ai eu un projet plus ambitieux. J'ai monté le premier acte du *Malade imaginaire*. Je me suis évidemment donné le rôle d'Argan. On a joué devant les élèves des trois classes de septième année et ceux de la classe auxiliaire. Les élèves de la classe auxiliaire, c'étaient les « imbéciles » qui travaillaient le bois. Les poches. Ils appellent ça autrement maintenant. Et, audace suprême, j'avais écrit à Jean Gascon : « Je suis en septième année et je monte *Le Malade imaginaire*. Comme je sais que vous l'avez vous-même monté, j'aimerais vous rencontrer pour que vous me donniez des conseils. » Un samedi matin, Jean Gascon appelle à la maison. Ma grand-mère frappe à la porte de ma chambre, étonnée : « André, André ! C'est Jean Gascon ! » Il m'a dit : « Écoutez, oui, j'ai reçu votre lettre et ça me ferait plaisir de vous recevoir. Maintenant, je joue *Mon père avait raison* de Sacha Guitry, mais je pourrais vous recevoir dans mon bureau vers sept heures. »

WAJDI MOUAWAD. Quel âge avais-tu ?

ANDRÉ BRASSARD. Onze, douze ans. On parle alors du mois de mars 1958. Une journée de pluie verglaçante épouvantable. J'avais traîné ma troupe, mes quatre camarades. Le TNM occupait l'Orphéum, un beau grand théâtre ancien sur la rue Sainte-Catherine, en face du Parisien. On s'est rendus là. J'étais très nerveux. Ça a

été un peu *fall ball* parce que j'avais dit à mes acteurs :
« Parlez vite, comme ça, si on se trompe, le monde s'en
rendra pas compte. » J'ai commencé : « Drelin, drelin,
drelin. » J'étais tellement énervé, je voulais tellement
faire mon artiste, je disais avec un accent français :
« Qu'est-ce que je dis ? Qu'est-ce que je dis ? » J'avais des
blancs. Il nous a laissés aller cinq minutes. Après il a dit :
« Vous savez, l'important, c'est que le public comprenne
ce que vous dites, comprenne les mots. Ne parlez pas
trop vite. » Il venait de mettre un grand coup d'épingle
dans ma prétention d'autorité.

WAJDI MOUAWAD. Est-ce qu'on peut dire alors
que ta rencontre avec le théâtre s'est faite à travers
l'école d'abord, ensuite par cette rencontre avec Jean
Gascon ?

ANDRÉ BRASSARD. Non. Parce qu'en vérité j'avais
commencé avant ça. Je ne t'ai jamais parlé de mon
épiphanie ?

WAJDI MOUAWAD. Non…

ANDRÉ BRASSARD. Je devais avoir quatre, cinq ans. Je
ne sais pas pourquoi, mais avec mes amis de la ruelle,
j'avais monté la vie de Maria Goretti. Tu sais qui est
Maria Goretti ?

WAJDI MOUAWAD. Heu… Non !

ANDRÉ BRASSARD. Maria Goretti est une fille qui a été
surnommée « l'enfant des marais » ou « celle qui a dit
non ». C'était sans doute une paysanne que son cousin
poursuivait de ses assiduités. Elle voulait rester pure, alors
il l'a tuée. Et comme dans la famille et les familles qui
nous entouraient, on était très, très catholiques, et très
catholiques ultramontains, c'est-à-dire plus branchés sur
le catholicisme romain que sur le catholicisme français,
Maria Goretti était devenue une figure mythique, une

fille qui était morte pour conserver sa pureté. J'ai fait ça. À cinq ans. Je ne sais pas pourquoi. Mais l'important c'est que, brechtien avant l'heure, et absolument inconscient, c'est moi qui faisais l'assassin. On jouait dans un carré de trottoir au pied des escaliers qui menaient au deuxième, où il y avait quelques spectateurs assis. Je m'étais fait un costume avec un trench coat et un chapeau. La seule chose dont je me souvienne, c'est que je suis entré sur scène en disant : « Je suis le méchant ! » J'ai tellement eu l'impression que c'était la première fois de ma vie que je disais la vérité, que je me définissais. Je me souviens du moment, je me souviens de la vibration de l'air autour de moi. Je ne me souviens pas du reste du spectacle, je ne me souviens pas comment ça avait commencé. Je me souviens d'être arrivé devant le monde et d'avoir dit : « Je suis le méchant ! » Comme si je me présentais. Pas le personnage, mais moi. Genet disait qu'il était devenu voleur parce qu'on le traitait de voleur. Moi, je me suis traité de méchant.

WAJDI MOUAWAD. Et ce méchant que tu es, ou du moins que tu étais à cinq ans, était-il méchant parce qu'on le traitait de méchant ?

ANDRÉ BRASSARD. C'était plus terrible que ça. Ce sont des choses obscures liées à l'histoire de ma famille, à toutes les complications entourant mes origines. Il y avait tellement de choses qui n'étaient pas vraies. Ma mère, que je croyais être ma tante, n'avait pas le droit de me donner de l'affection. Dès qu'elle me serrait dans ses bras, mon grand-père l'engueulait et la faisait pleurer. Plus tard, mon père adoptif s'est remarié avec une femme qui ne voulait pas élever le fruit d'un péché dans sa maison. Alors il venait en cachette me voir chez mes grands-parents pour me donner cinq piastres et me disait : « Dis-le pas à personne. » À chaque fois que je faisais quelque chose de pas correct, mon grand-père me disait : « Si on n'était pas là, mon p'tit gars, tu serais à la crèche », croyant ainsi provoquer chez moi de la reconnaissance. J'ai appris très vite que les gens qui m'aimaient devaient se cacher pour me le dire. Comme si c'était une chose défendue. Je suis le méchant... Ces paroles étaient si justes, si fortes, que j'ai eu l'impression, à ce moment-là, d'être en contact avec le ciel.

WAJDI MOUAWAD. Il y a, c'est vrai, quelque chose de très religieux dans cette histoire, qui évoque peut-être la manière dont l'Église semble avoir traumatisé la culture québécoise. Comme si, dans cette histoire, il était avant tout question du jour où la culpabilité s'est abattue sur toi.

ANDRÉ BRASSARD. Ça ne nous quitte plus après.

WAJDI MOUAWAD. Est-ce que Dieu, le « personnage », oserais-je dire, était très présent dans ta vie d'enfant ?

ANDRÉ BRASSARD. Il était dans ma vie d'enfant parce qu'il était partout dans la maison. Mais ça n'a pas eu que des désavantages. Le chapelet est une des causes de mon amour pour le théâtre. Il fallait réciter le chapelet à sept heures tous les soirs avec le cardinal Léger à la radio. C'était un événement que j'avais pris en grippe. Aller au théâtre me permettait d'échapper au chapelet pour des raisons absolument niaiseuses d'économie, puisque les billets d'autobus coûtaient moins cher avant sept heures. Sept cennes au lieu de vingt-cinq. C'était un prétexte formidable pour dire à la famille : « Je vais sauver de l'argent. » Je partais à sept heures moins quart. Les spectacles étaient à neuf heures et j'échappais au chapelet. Ça m'a donné, en plus, une expérience déambulatoire sur la rue Sainte-Catherine entre Saint-Denis et Guy deux fois par semaine pendant plusieurs années. Le théâtre, aussi, c'était cette délivrance-là : ne pas être chez nous, ne pas obéir, ne pas dire le chapelet. J'haïssais tellement ça. Sept heures, c'était une heure pour vivre, pour jouer. On soupait à cinq heures et demie. À six heures, je sortais dans la ruelle jouer avec mes chums. Puis à sept heures moins cinq, mon grand-père sortait sur la galerie : « André ! Chapelet ! » Ça voulait dire qu'il fallait tout abandonner pour aller dire le chapelet. Quand je ressortais à sept heures et quart, mes chums étaient rendus ailleurs. J'ai tellement haï ça que je me suis mis à me cacher à partir de six heures. Je me cachais derrière les sofas, dans la boîte à linge sale, et quand le chapelet commençait, à sept heures, ils ne me trouvaient pas dans la maison. Plus tard, j'ai obtenu la permission de dire le chapelet dans ma chambre. C'était bien. Au lieu de répondre : « Sainte Marie pleine de grâces », je disais : « Hostie de câlisse, sacrament de crisse… » Je sacrais pendant quinze minutes à tous les soirs. « Câlisse de câlisse de câlisse de crisse de crisse de câlisse de viarge de tabarnak » en réponse.

WAJDI MOUAWAD. Le premier février 2004, lors du Gala des Masques, un gala au cours duquel sont récompensés les artisans du théâtre, tu as reçu le prix hommage. Un prix qui témoigne de l'importance considérable que l'ensemble de la communauté théâtrale accorde à ton travail. Tu es apparu sur scène et pendant de très longues minutes, les gens, les acteurs, les metteurs en scène, les auteurs présents, tous se sont levés pour t'applaudir. À la suite de cette retentissante preuve d'amour, il a fallu que tu dises quelque chose. Un discours. Dans l'absolu, est-ce que tu aurais pu encore dire : « Je suis le méchant ! » ?

ANDRÉ BRASSARD. Non. Ce soir-là, j'aurais dit : « Je suis l'inerte. » J'ai l'impression qu'aujourd'hui, mon problème, c'est l'inertie. Petit, je me rappelle, je jouais dans le carré de terre en face de chez nous. J'entendais passer le tramway, rue de Lorimier. J'ai tellement rêvé de le prendre. Je rêvais, je pense, de m'en aller. Tu sais, comme le titre du roman de Kundera : *La Vie est ailleurs.* Le sentiment de ne pas être à la bonne place. Plus tard, après que ma mère m'ait expliqué mes origines, j'espérais voir apparaître mon père dans sa grande limousine noire, j'espérais le voir s'arrêter au coin de la rue pour me dire : « Ah ! mon fils ! » Je m'imaginais monter dans sa voiture et partir avec lui.

WAJDI MOUAWAD. Si tu repenses à ce moment intense où tu as révélé que tu étais le méchant, est-ce que tu accepterais de le considérer comme une métaphore de chaque artiste ? Comme un indice pour nous permettre de comprendre pour quelle raison on fait du théâtre ?

ANDRÉ BRASSARD. Non. Selon moi, la principale raison pour laquelle on fait du théâtre, c'est pour soi. Une amie à qui on a demandé pourquoi elle faisait du théâtre a répondu : « Parce que ma réalité est insuffisante. » Ça vient de là, d'une insatisfaction. Genet disait qu'il y a deux façons de voir le monde. On peut dire : « Ben oui ! Qu'est-ce que tu veux ! Le monde est comme ça ! On va s'amuser, et tant qu'à faire, on va rire. » Puis il y en a d'autres qui disent : « Ça n'a pas d'allure, ça se peut pas. Ça se peut pas que le monde soit comme ça. » Ceux-là ont une rage devant l'état du monde, devant la bêtise, devant tout. Les individus, la société, le politique. Qui a raison ? Est-ce que l'art, en général, est là pour aider à vivre, pour aider à supporter le quotidien, pour être complice de l'exploitation des masses, ou est-ce que l'art est là pour réveiller le monde ? Est-ce que le théâtre doit être joli, doit nous donner accès à un univers comme celui du ballet classique où l'on marche sur la pointe des pieds, où l'on fait des ronds de jambe ? Ou est-ce qu'on n'est pas là pour dire au monde : « Regardez comment qu'on est. Aimez-vous ça ? Aimez-vous ça être de même ? Si vous n'aimez pas ça, changez ! » ? C'est Genet qui m'a appris à voir le théâtre comme ça. Pour lui, le théâtre est un miroir : si tu n'aimes pas ce que le miroir te renvoie, ne casse pas le miroir : change le monde. Pour lui, les artistes sont des êtres qui disent non. Genet n'aimait pas le théâtre qui était une acceptation désespérée du monde.

WAJDI MOUAWAD. Comment ta rencontre avec Genet s'est-elle faite ?

ANDRÉ BRASSARD. J'ai d'abord découvert les romans, qui ne m'ont pas dit grand-chose mais que j'ai lus par solidarité. En lisant *Les Bonnes*, j'ai senti qu'il y avait chez lui une intelligence, celle des grands auteurs et des scientifiques, qui consiste à diriger un microscope vers une partie de l'être humain de manière à pouvoir dire : « Ah ! Ça, ça marche comme ça ! L'orgueil fait faire ça, la haine de soi fait faire ça, l'ambition fait faire ça... »

WAJDI MOUAWAD. Qu'est-ce qu'il a éveillé en toi ?

ANDRÉ BRASSARD. Ma conscience. Il m'a appris que le théâtre est là pour faire éclater le mal, pour le montrer, pas pour le régler. Pour Genet, il ne faut pas qu'une pièce finisse bien, de peur que le spectateur retourne chez lui avec l'illusion que le mal peut se régler d'un coup. On trouve ce qui le motivait dans ses préfaces, dans les préfaces des *Bonnes*, un livre très important pour moi. Adolescent, je l'avais fait venir à prix d'or. Il m'avait coûté 28,30$, exactement. Il est encore là, dans ma bibliothèque. Il est tout débâti, mais ça ne fait rien. Genet parlait de la nécessité de dire non, de ne pas obéir. C'est important à mes yeux parce que moi, et c'est une chose que j'ai constatée il y a déjà un bon bout de temps, je ne peux pas obéir. Je ne peux pas, je suis pas capable d'obéir.

WAJDI MOUAWAD. As-tu déjà obéi ?

ANDRÉ BRASSARD. Oui. Une fois. J'ai obéi à madame Brind'Amour. Je montais *Richard III*. Elle trouvait qu'il y avait deux scènes inutiles. Mais l'acteur les avait travaillées et j'étais incapable de lui dire : « Je te coupe », incapable de me lever et de dire non à madame Brind'Amour. Un jour, elle m'a presque dit : « Je t'ordonne de lui dire. C'est mon théâtre, c'est moi qui paie. » Alors je suis allé voir l'acteur. Et j'ai coupé. Je n'ai jamais eu le courage de me lever et de dire : « Non. *Over my dead body.* » Je ne suis pas courageux du tout. J'ai même développé toutes mes approches douces par lâcheté, pour éviter des confrontations. C'est sûrement relié à la blessure. Si je dis non, ils ne m'aimeront plus. Se faire aimer, ça veut dire faire ce que les autres veulent.

WAJDI MOUAWAD. Pourtant, tu es le méchant.

ANDRÉ BRASSARD. Je ne m'en suis rappelé que beaucoup plus tard. Ça n'a pas été une découverte qui m'a suivi. Enfant, on comprend des choses qu'on passe notre vie à essayer de comprendre à nouveau. On ne se connaît jamais comme il faut.

WAJDI MOUAWAD. As-tu réussi à retrouver cette compréhension de l'enfance ?

ANDRÉ BRASSARD. Je ne sais pas. Je sais que j'ai eu un jour la prétention consciente de créer un objet qui soit tellement beau que je n'existerais plus. Comme un arbre. Quand tu vois un bel arbre, tu ne demandes pas qui l'a sculpté. Tu vois un arbre. Tu es en contact. J'ai toujours eu envie de participer à la création de moments qui soient, sur le plan humain, tellement beaux que ça n'attire pas l'attention sur le fabricant. Profondément, je n'ai jamais eu envie d'attirer l'attention sur moi, le fabricant.

L'enregistreuse s'arrête. Wajdi et Sophie se lèvent. Rangent leurs affaires. Saluent André et sortent. André reste seul.

2

LE TEMPS DU GLAPIR

Même lieu, même froid. La lumière toujours brouillée par la fumée de cigarette qui noie l'appartement. André toujours assis au même endroit. On pourrait croire que, malgré les jours qui passent, il n'a pas bougé. Wajdi et Sophie sont en face de lui. Foulard autour du cou. Sophie allume l'enregistreuse. La cigarette d'André est déjà allumée.

Silence.

WAJDI MOUAWAD. En parlant de tes lectures, tu as évoqué Bob Morane. Ce personnage, tout comme les autres de son genre, représente ce héros que l'on voudrait être. Mais au fond de nous, on sait très bien que l'on n'est pas Bob Morane. Puis, un jour, il y a la rencontre avec une œuvre, une œuvre littéraire, qui tout à coup met en scène un héros, qui n'est pas un héros que l'on voudrait être, mais un héros que l'on est, précisément. Pour ma part, j'ai vécu cette rencontre avec moi-même à travers *La Métamorphose* de Kafka. Le lisant, j'ai eu le sentiment qu'il n'était question que de moi, le sentiment que ce roman n'avait été écrit que pour moi. Ce genre de rencontre te fait comprendre la force de la littérature et t'arrache d'un coup à tes illusions. Est-ce qu'il y a eu, pour toi aussi, un premier livre qui t'a mis en scène, toi ?

ANDRÉ BRASSARD. Peut-être *Les Amitiés particulières*. Peut-être. Et je me rappelle aussi qu'à l'école, à chaque début d'année, je me cherchais un Lucien. Je n'en ai jamais trouvé. Je me cherchais quelqu'un avec qui cette complicité aurait été possible. Mais tout ça reste un peu gentil. Le premier coup de poing, je dirais que ça a été *Les Bonnes*. Je ne sais pas pourquoi. Peut-être parce que, oui, il s'agissait d'un héros qui me ressemblait. Il ne s'agissait pas à proprement parler d'un héros, mais de deux personnages habités par une fêlure. Claire et Solange, ce sont deux femmes qui se sentent exclues de tout et qui ont pourtant l'impression qu'elles ont, autant que les autres, le droit de vivre, d'être grandes, d'être belles et d'être bien habillées.

WAJDI MOUAWAD. À l'époque de ta rencontre réelle avec la littérature, avec *Les Bonnes* de Genet, qui, à Montréal, faisait de la mise en scène ?

ANDRÉ BRASSARD. Jean-Pierre Ronfard était déjà très actif. Il y avait Jean Gascon, Guy Hoffmann et Georges Groulx qui travaillaient ensemble. Paul Buissonneau travaillait de son côté. Il y avait le Rideau Vert aussi avec Yvette Brind'Amour et Metcha Palomino. Il ne faudrait pas oublier non plus le travail des Apprentis-Sorciers, des Saltimbanques, de Françoise Berd et de sa compagnie, l'Égrégore, dont la recherche était plus près de « l'avant-garde ».

WAJDI MOUAWAD. Allais-tu voir leurs spectacles ? Allais-tu souvent au théâtre ? Quand as-tu commencé à vraiment aller au théâtre ?

ANDRÉ BRASSARD. À l'époque, on ne pouvait pas aller au cinéma avant seize ans. Je pensais que c'était la même chose pour le théâtre. Quand j'ai commencé mon cours classique, je me suis rendu compte que j'étais devenu un étudiant. Or, dans les journaux, on annonçait toujours dans les espaces réservés pour le théâtre des « prix d'étudiant ». J'ai pris mon courage à deux mains, j'ai téléphoné, et je suis allé voir *La Reine morte* de Montherlant, au Gesù, monté par le Rideau Vert. Ma mère était fine ; elle m'a toujours payé mes sorties. On pourrait dire que, pendant dix ans, j'ai tout vu, tout. Tout. À l'Égrégore, aux Apprentis-Sorciers. Même les spectacles publics du Conservatoire et de l'École nationale. Tout.

WAJDI MOUAWAD. Qu'est-ce qui se dégageait de ces dix ans ?

ANDRÉ BRASSARD. Il y avait, d'abord, l'émerveillement d'être là, d'être assis, et le noir qui se fait, puis le rideau qui se lève. Tout à coup, quelque chose commence. Il n'y avait pas de sens critique ; il y avait juste l'émerveillement d'être ailleurs. C'est sûr qu'au bout de quatre, cinq ans, j'ai commencé à me dire : « Ben, sais-tu, j'ai aimé ça un petit peu moins que l'autre. » Puis j'ai essayé de comprendre pourquoi. Face à certains spectacles, j'ai commencé à me dire : « J'aurais pas fait ces choix-là. » J'ai eu très tôt la faculté, je dirais, de séparer ce que j'entendais de ce que je voyais. Il m'est souvent arrivé, en entendant les mots, de penser qu'ils n'étaient pas dits comme ils devaient être dits. Il y avait quelque chose dans les mots qu'on ne retrouvait pas dans les images, ni dans le jeu. Ou bien les mots étaient dits trop vite, ou pas assez vite. Ou bien il manquait de silences dans la pièce. C'est très important d'entendre la pièce. Si l'on pense au mode actuel de production au théâtre, on ne donne pas le temps au metteur en scène d'entendre la pièce avant de la monter. Il lui faut trouver le décor et les images alors qu'il n'a pas eu la possibilité d'entendre et donc de comprendre profondément le texte. Moi, tant que je n'entends pas la pièce comme il faut, je n'ai pas d'images en tête. Je me refuse à avoir des images. Parce que les images qu'on a, avant d'avoir entendu la pièce, c'est n'importe quoi. Le théâtre, c'est pas du roman. Il y a des voix, il y a des rythmes, il y a des respirations. Il y a des rapports d'énergie entre les individus. Si tu n'as pas une compréhension du texte, tu es perdu. Tu peux faire ce que j'appelle des Ice Follies, faire des déplacements pour des déplacements. Tu peux lire, bien sûr, des analyses qui ont été faites, mais ce n'est plus de toi, de ta perception dont il est question.

WAJDI MOUAWAD. Y a-t-il eu pour toi un spectacle en particulier qui a été important, révélateur, je dirais, de ce que pouvait apporter la mise en scène au théâtre ?

ANDRÉ BRASSARD. Je peux te parler du *Songe d'une nuit d'été* de Shakespeare que Peter Brook avait mis en scène et que j'avais vu à New York, mais je l'ai vu plus tard. C'était un spectacle avec un grand décor blanc. C'était tellement léger et tellement magique, comme les assiettes chinoises qu'il faut faire tourner sur un bâton pour les lancer et les rattraper sans jamais les faire tomber. En même temps, il y avait une énergie, une jeunesse là-dedans. Une fille prenait sa course pour se jeter dans les bras d'un homme pour barrer l'accès à une porte. C'était tellement *timé*, c'était incroyable.

WAJDI MOUAWAD. Un spectacle qui provoquait la passion.

ANDRÉ BRASSARD. Une grande passion. Il y a trois spectacles que j'ai vus trois fois dans ma vie, et en payant ma place : *Le Vol rose du flamant* de Clémence DesRochers, *L'Opéra de Quat'sous* de Brecht mis en scène par Jean Gascon, séduisant tant par la mise en scène que par la beauté des chansons, et *Hair*, à New York, qui correspond à la découverte d'un univers et d'une génération. C'est étonnant : ce sont trois spectacles musicaux. D'ailleurs, dès cette époque, mon rêve secret était de devenir chanteuse. J'avais une grande admiration pour les chanteuses françaises, pour Pauline Julien et Clémence DesRochers, aussi, avec qui j'ai eu le bonheur de jouer dans une télésérie pendant trois ans, *Le Pain du jour*.

WAJDI MOUAWAD. Qu'est-ce qui t'amenait à retourner voir le spectacle, ton plaisir de spectateur ou ton intérêt pour la mise en scène ?

ANDRÉ BRASSARD. C'est toujours un peu indissociable, tu sais. Comme si tu mangeais un bon gâteau quelque part : la semaine suivante, tu as envie de passer par la même pâtisserie pour y goûter. Mais le spectacle le plus « révélateur », comme tu dis, a sans doute été un spectacle de Jean-Pierre Ronfard : *Maître Puntila et son valet Matti*, de Brecht, qu'il avait fait avec des élèves de l'École nationale. Ça m'avait impressionné. Je n'avais jamais encore vu des acteurs qui jouaient puis qui, de manière précise, arrêtaient de jouer, donnaient des coups de bâton sur une table et chantaient un petit refrain tout en changeant de décor. Une fois le nouveau décor en place, ils lançaient un titre aux spectateurs et recommençaient à jouer. Pour moi, des spectacles comme ceux-là ont permis une ouverture incroyable.

WAJDI MOUAWAD. Ce que tu as vécu, lors de cette représentation, c'est une ouverture de ta pensée. Comment apprend-on à penser, d'après toi ?

ANDRÉ BRASSARD. On reparlera de mon aversion profonde pour les intellectuels auxquels ta question me renvoie, mais je dirais que l'on apprend à penser comme l'on apprend à goûter des vins. Comme on devient œnologue. C'est l'entraînement. Tu goûtes. Plus tu vas au théâtre, plus tu apprends à penser. Pendant ces dix ans, j'ai appris à penser, je ne sais pas comment, ni de quelle manière, c'est difficile de retracer ça, parce que ça s'est fait tellement naturellement ou subtilement, mais je peux dire que, au début, j'étais un spectateur qui aimait tout, et à la fin, j'étais un spectateur qui n'aimait pas tout.

WAJDI MOUAWAD. Qu'est-ce que tu n'aimais pas ?

ANDRÉ BRASSARD. La bullshit. Quand ce n'était pas vrai. Quand c'était trop français comme les Français. Quand ça ressemblait à du doublage, quand ça ne résonnait pas. J'avais l'impression que les acteurs se prenaient pour d'autres. J'avais l'impression que ce n'était pas du monde.

WAJDI MOUAWAD. L'identification était nécessaire à tes yeux ?

ANDRÉ BRASSARD. Oui. On en était rendus, au Québec, au point où on avait besoin de se reconnaître. Le théâtre, ces soirs-là, avait des airs de cours de bonnes manières et de bon parler français. Bien parler, ça voulait dire parler comme un Français. Ou comme un annonceur de Radio-Canada, ce qui était à peu près la même chose. À l'époque, peu importait ce que disait la personne, c'était comment elle le disait qui était valorisé. Tranquillement, ça a commencé à m'insatisfaire. Certains soirs, j'écoutais un acteur et je me disais : « Oui, mais crisse, le sais-tu de quoi tu parles ? » Et souvent, je sortais du théâtre en me disant : « Crisse, y ont rien compris ! J'vas leur montrer ! J'vas la remonter cette pièce-là puis je vais leur montrer qu'est-ce que ça peut être ! » Pour leur dire : « Regardez ! Lisez, crisse ! Apprenez à lire, c'est marqué ! »

WAJDI MOUAWAD. Aujourd'hui, face à des spectacles qui nous mettent dans cet état de rage, on s'en prend tout de suite au metteur en scène. Devant la langue que tu entendais et dans laquelle tu ne te reconnaissais pas, devant cette langue polie qui n'arrivait pas à masquer, selon toi, une incompréhension du texte, avais-tu le réflexe d'en accuser le metteur en scène comme on le ferait aujourd'hui ? Y avait-il, chez toi, un réflexe équivalent ?

ANDRÉ BRASSARD. La grande faiblesse se situait toujours au niveau de l'intelligence du texte. Je subodorais qu'il y avait des choses dont les acteurs ne soupçonnaient même pas l'existence, qu'ils n'avaient pas pris la peine d'aller voir ce qu'il y avait en dessous, ce qu'il y avait entre les lignes. C'était souvent ça qui me choquait. Voir les acteurs jouer un peu par-dessus la jambe. Ce n'était pas fait consciemment. Les spectacles étaient souvent travaillés avec beaucoup d'honnêteté. Il faut dire qu'on se préoccupait de l'élaboration d'une dramaturgie, ce qui explique qu'on considérait moins la mise en scène. Le TNM organisait chaque année un concours de pièces « canadiennes ». Des auteurs comme Jacques Languirand, Françoise Loranger, Robert Gurik et beaucoup d'autres, ont fondé le CEAD. Comme dans toute première œuvre, on trouvait dans cette dramaturgie naissante des influences, autant Ionesco que Giraudoux. Le seul auteur dramatique qui avait été un peu en contact avec le théâtre américain, c'était Marcel Dubé. Il avait pour idole Arthur Miller. Mais il y avait, je dirais, chez la plupart des artistes, une pensée de l'art calquée sur celle de Radio-Canada, qui incarnait la culture à ce moment-là. Tu sais, il y a toujours une frontière très précise dans l'esprit des gens entre ce qui est de l'art et ce qui n'est *pas* de l'art. Est-ce qu'une robe de viande, c'est de l'art ? Est-ce qu'un pétomane, c'est de l'art ? Il y avait beaucoup de condescendance de la part de Radio-Canada envers les expressions artistiques qui ne correspondaient pas à son schème de pensée. On a même suggéré à Marcel Dubé de remonter un peu la classe sociale de ses personnages pour que ce soit mieux écrit. C'est ce que je voulais dire en parlant de cette période où on nous forçait à être ce qu'on n'était pas. C'était ça, le vrai scandale de l'impérialisme français. Par exemple, on n'avait pas le droit de faire de nouvelles traductions des pièces américaines. Pour monter Tennessee Williams au Québec, il fallait prendre la traduction de Paule de Beaumont.

WAJDI MOUAWAD. Pourquoi la définition de la culture avait-elle pris pareille tournure ?

ANDRÉ BRASSARD. C'est là le grand malentendu. Cette définition de la culture s'est faite tellement rapidement. Il y a eu quelques troupes fondées par des gens, comme le TNM, à leur retour d'Europe, par Metcha qui voulait donner des grands rôles à Yvette Brind'Amour. Comme les fondateurs étaient branchés sur l'Europe, la filiation française était importante, plus importante que maintenant. Même les acteurs se devaient d'avoir étudié en France s'ils voulaient devenir de grands acteurs. (Je n'ai connu qu'Amulette Garneau qui soit allée étudier à New York.) Il n'y avait pas encore d'écoles de théâtre, au Québec, que des professeurs privés, ce à quoi on s'est hâté de remédier. Puis, à peine le théâtre était né que la télévision est arrivée et a créé des vedettes. Dans le bon sens du terme : des acteurs que les gens ont aimés. Le jardin a commencé à pousser sans qu'on se demande ce qu'il était, ce que l'on voulait : un jardin à l'anglaise ou un jardin à la française ? Aujourd'hui, on ne sait toujours pas.

WAJDI MOUAWAD. Au cours de ces premiers dix ans que tu as vécus comme spectateur, selon toi, y avait-il un mouvement, une parole théâtrale, qui répondait à la définition de l'artiste valable tel que le pensait Genet ?

ANDRÉ BRASSARD. Non, malgré le *Refus global* et ce qu'il a apporté à l'art et à la littérature. En théâtre, il y avait Gauvreau, mais Gauvreau n'était pas dans la résistance. Au contraire. Il ne voulait tellement pas parler joual qu'il a parlé exploréen à la place. C'était toute la pensée de la petite bourgeoisie outremontaise qui s'exprimait à travers son dégoût. Dans *La Charge de l'orignal épormyable*, il y a, dans le monologue que Mycroft prononce avant de mourir, une phrase qui porte en elle tout ce dégoût : « Le temps du glapir va finir. » Gauvreau disait qu'il était tanné de voir des cuisines et des éviers de cuisine sur les scènes. Des pensées pareilles, on ne les retrouvait pas seulement dans les textes. Cette hostilité-là, je l'ai vécue avec certains acteurs. Dyne Mousso, qui était une actrice lumineuse avec qui j'avais fait deux spectacles, m'avait dit, quand on lui avait offert de jouer dans *En pièces détachées* : « Je ne serais jamais capable de parler comme ça. » Comment se fait-il qu'Yvette Brind'Amour, qui est née en dessous du pont Jacques-Cartier, n'a jamais été capable de parler québécois ? Comment se fait-il que Jean-Louis Roux, qui est né dans un autre milieu qu'Yvette, n'a été capable de parler québécois qu'à travers une caricature infâme ? Pourquoi y a-t-il eu une génération qui a refusé, qui a dit et qui dit encore : « Je suis pas capable », avant d'essayer, avant de penser à ce que ça signifie, avant de se pencher pour comprendre ce que ça tente de dire ? Une génération qui a refusé de voir des mots écrits d'une façon différente. Une génération de gens qui s'extasiaient sur Claudel bien qu'ils ne comprenaient pas ce que ça voulait dire, mais qui s'extasiaient simplement parce que c'était de « beaux » mots. Si tu savais le nombre de bêtises que je me suis fait crier par les actrices à qui je proposais des rôles dans *Les Belles-Sœurs*, c'était effrayant. Effrayant. Cette chose-là, de « bien » ou « mal » parler, était très présente.

WAJDI MOUAWAD. Qu'est-ce que tu aurais voulu leur dire, à ce moment-là, à ces acteurs qui ne parvenaient pas à parler leur langue ?

ANDRÉ BRASSARD. « Allez chier ! »

WAJDI MOUAWAD. Tu te sentais toi-même attaqué finalement, n'est-ce pas ?

ANDRÉ BRASSARD. Non, mais c'était exactement comme le reste de ce qui nous entourait et de ce dans quoi on vivait. Ma grand-mère regardait les téléthéâtres et trouvait que le monde parlait bien ! Elle ne parvenait pas à entendre autre chose. À accepter la différence. Nous venons, de fait, d'une société profondément raciste.

WAJDI MOUAWAD. Raciste envers elle-même, donc, puisqu'il s'agit de sa propre langue ?

ANDRÉ BRASSARD. Non, non, non. Pas seulement. Raciste. Écoute, quand j'étais petit, sur la rue des Érables, il y avait un Anglais, et à chaque fois qu'on allait à l'école, on pitchait des roches contre sa porte. Il y avait une madame, une Polonaise sans doute, qui avait dû échapper aux camps, qui était très gentille et qui voulait se faire des amis, des voisins. Elle nous offrait des bonbons. Nos parents disaient : « Prends pas les bonbons de la madame ; ils sont sûrement empoisonnés ! C'est une sorcière, elle parle pas comme nous autres. »

WAJDI MOUAWAD. Il s'agit surtout d'une méfiance qui reflète une certaine peur.

ANDRÉ BRASSARD. Pas seulement. C'est une méfiance du Québécois de souche, du pure-laine envers ce qui ne l'est pas. Il y avait une espèce de paranoïa qui venait du sentiment d'être un « peuple béni ». Le *Ô Canada*, à ce titre, est effrayant ! Le quatrième couplet, que j'ai découvert en travaillant sur *Les Belles-Sœurs*, va comme ceci :

> *Amour sacré du trône et de l'autel*
> *Remplis nos cœurs de ton souffle immortel !*
> *Parmi les races étrangères,*
> *Notre guide est la loi ;*
> *Sachons être un peuple de frères,*
> *Sous le joug de la foi,*
> *Et répétons comme nos pères*
> *Le cri vainqueur : « Pour le Christ et le Roi ! »*
> *Le cri vainqueur : « Pour le Christ et le Roi ! »*

J'appelle cela de la consolation de petit peuple. Tout ça porte au racisme, jusque dans les expressions quotidiennes que l'on entend encore aujourd'hui.

WAJDI MOUAWAD. Comme ?

ANDRÉ BRASSARD. Comme « un nom à coucher dehors ». Si tu arrivais quelque part voilà trente ans et que tu disais : « Je m'appelle Wajdi Mouawad », on t'aurait dit que c'est un nom à coucher dehors. Un nom porté par quelqu'un en qui on n'a pas assez confiance pour l'inviter à coucher chez soi. Ou « le plan de nègre », « le petit Juif ». La société québécoise, malgré une ouverture récente, me semble avoir conservé un vieux fond de xénophobie. Tu ne sens pas ça, toi ?

WAJDI MOUAWAD. Pas de manière flagrante. Mais il est vrai que je trouve étrange que, depuis que j'ai annoncé mon départ de la direction artistique du Théâtre de Quat'Sous, les gens me demandent si je vais quitter le Québec. Je me suis demandé si on allait poser cette question à René Richard Cyr, maintenant qu'il a annoncé qu'il quittait le Théâtre d'aujourd'hui. Je ne sais pas si on peut appeler cela du racisme, mais c'est latent. Ça signifie qu'on n'a jamais tenu pour acquis que j'étais là pour le reste de mes jours. Que je faisais partie de la famille… Mais au cours de ces dix années que tu as surtout passées en spectateur, t'est-il arrivé de douter, de penser que faire du théâtre, c'est parler comme les Français ?

ANDRÉ BRASSARD. Non. Jamais.

WAJDI MOUAWAD. Tu as parlé de ton aversion pour les intellectuels. Ce sont des mots qui m'ont vraiment provoqué car, moi, je revendique fortement ce mot, je le lie même à mon identité. Plus même : je crois qu'il est impossible d'être un artiste sans être un intellectuel.

En fait, je pense que, pour toi, ce mot est représentatif d'une classe sociale, alors que moi, je le lie à l'acte de penser et de vouloir demeurer éveillé. Quoi qu'il en soit, on peut constater que ce mot est vraiment miné, ici, au Québec. Dans ton cas, les intellectuels, est-ce que tu les associais à ce « bien parler », à cet accent français que tu retrouvais sur scène et qui te choquait profondément ? En d'autres termes, qu'est-ce que c'était, pour toi, un intellectuel ?

ANDRÉ BRASSARD. C'est vrai que c'était lié à la langue, mais moi, tu vois, pour toutes sortes de raisons, ça m'a pris du temps à admettre que je pouvais avoir une pensée qui soit liée à mon langage et pas à celui des universitaires, associés à l'idée que je me faisais des intellectuels. Je me suis débattu pendant tellement longtemps, tellement d'années à dire : « Je ne suis pas un intellectuel. » Parce qu'un intellectuel, pour moi, c'était quelqu'un qui faisait des ballounes. À l'Élysée, un cinéma d'art et d'essai qui présentait les films de Kurosawa, de Kobayashi, il y avait une édition régulière d'un cahier écrit par Bison ravi (Patrick Straram). Il était remarquablement inintelligible. C'étaient des ballounes, comme lorsque tu prends ta paille et qu'au lieu d'aspirer, tu souffles dans le jus : ça fait des ballounes. Un jour, lors d'un des premiers Festivals de Montréal qui avait des allures de festival culturel d'été, je suis allé voir John Cage lancer des billes dans son piano. Là aussi, j'ai trouvé que le niveau de bullshit était assez élevé. J'étais pas un imbécile, pourtant, mais je ne comprenais rien. Et pendant longtemps ça a été ça, pour moi, l'image de l'intellectuel : une personne qui fait des ballounes. Je me suis dit : « Moi, jamais. » Il ne faut pas oublier non plus que c'était une époque où ont cohabité sur nos scènes le TNM et la Poune. (Même si la rumeur veut que Jean-Louis Roux allait voir jouer la Poune incognito.)

WAJDI MOUAWAD. Et les universitaires ?

ANDRÉ BRASSARD. Il y a eu, pendant très longtemps, une guerre larvée entre les praticiens du théâtre et les théoriciens. Le fossé est un peu moins grand maintenant, mais à cette époque, la théorie et la pratique, c'étaient deux mondes.

WAJDI MOUAWAD. Que représentait, pour toi, ce monde-là ?

ANDRÉ BRASSARD. Il représentait la pérennité de l'écriture par rapport à l'éphémère de la représentation. J'ai toujours eu une grande agressivité envers la revue *Jeu*, par exemple. Dieu sait qu'ils en ont dit des niaiseries ! Ils ont dû dire des choses qui avaient de l'allure des fois, mais je ne sais pas, je ne les ai pas lues. Je ne suis tombé que sur les niaiseries. Et ce sont ces niaiseries-là qui restent. Et les critiques. Le spectacle n'est plus là. Les ballounes sont là, mais pas l'objet même.

WAJDI MOUAWAD. Tu n'avais donc pas un problème avec la tentative de dire quelque chose sur les spectacles, mais plutôt avec ce que l'on en disait et la manière dont on le disait.

ANDRÉ BRASSARD. La sémiologie, ça me fait chier. Des fois, il y en avait un qui venait faire un travail et qui me demandait pourquoi telle affaire était à droite au lieu d'à gauche : « Regarde le théâtre. À gauche, il n'y a pas de coulisse. À droite, oui. » J'ai toujours trouvé que les choses étaient beaucoup plus simples qu'on l'imagine.

WAJDI MOUAWAD. Comment conciliais-tu le fait de te positionner en disant : « Je ne suis pas un intellectuel » avec le fait de réfléchir ? Comment comprenais-tu, pour toi, l'acte de réfléchir ?

ANDRÉ BRASSARD. J'ai été tenté, moi aussi, par la théorie. Dieu merci, j'ai rencontré Denise Filiatrault ! Vers la fin des années 1960, j'avais des prétentions, je lisais un peu de théorie. J'ai lu *L'Espace vide* de Peter Brook et *Shakespeare notre contemporain* de Jan Kott. Kott a été, pour moi, une découverte fondamentale. Pour *Lysistrata*, je me souviens d'avoir essayé d'expliquer une situation psychologique à Denise Filiatrault. Elle m'a dit : « Tu veux que je parle plus fort ? » Et drapé dans un snobisme qui m'a quitté depuis, j'espère, j'ai répondu : « Oui, c'est ça, Denise. Parle plus fort. » J'étais convaincu comme on l'est à cet âge tendre que j'étais un artiste du « pourquoi » et qu'elle était une artiste du « comment ». Je me rends compte avec le recul que sa rencontre m'a empêché de me prendre pour un autre. Plutôt que de demeurer dans des préoccupations conceptuelles, j'ai pris conscience du côté artisanal du théâtre.

WAJDI MOUAWAD. On parle d'une période cruciale dans la vie des Québécois, puisque nous parlons des années 1960. L'époque, politiquement, était assez complexe pour qu'elle nécessite des intellectuels. Or, ce que je veux essayer de comprendre, c'est la raison pour laquelle il y a une crispation chez toi dès qu'il s'agit des intellectuels ou de la pensée articulée, ou d'une tentative de dire. Personnellement, je suis convaincu que, chez toi, il n'y a pas seulement de l'intuition, mais qu'il y a aussi une réflexion active. Chez Tremblay, j'ai retrouvé, les quelques fois où j'ai discuté avec lui, le même rejet, la même distance. Pourquoi ?

ANDRÉ BRASSARD. Je ne peux pas te répondre avec précision parce qu'aujourd'hui les choses se sont déplacées. Je ne suis plus dans cet état d'esprit de rejet. Les choses ont évolué. Lentement. J'ai rencontré des gens qui étaient capables de réfléchir sans que ce soit déconnecté d'avec une certaine réalité, sans que ce soit pour mettre en valeur leur connaissance d'un vocabulaire. J'ai fini par croire que ça se pouvait. Mais, avant, réfléchir, c'était comme un péché. Il y avait une partie de moi qui ne voulait pas : c'était, d'une certaine manière, tenter de prendre une stature. Mais comment prendre de la stature lorsque les choses sont confuses ? On a tellement vécu dans la confusion. À quoi ça sert le théâtre ? Qu'est-ce que c'est ? Qu'est-ce qui est important ? Et ces questions sans réponses, on se les posait coincés entre la mamelle américaine et la mamelle européenne. Entre le discours immédiat, pragmatique et le discours réflexif, analytique. En caricaturant, je te dirais qu'on était pris entre l'état d'esprit américain qui avait tendance à se dire, devant une œuvre : « Si tout le monde aime ça, c'est bon » et l'état d'esprit européen qui adoptait le point de vue contraire devant la même œuvre : « Ooooh ! Ça plaît aux gens. Méfions-nous ! C'est quétaine. C'est pas très noble si ça plaît. »

WAJDI MOUAWAD. Aujourd'hui, que dirais-tu ?

ANDRÉ BRASSARD. Je suis un peu plus réconcilié. Je peux me traiter d'intellectuel maintenant, mais un intellectuel... concret.

WAJDI MOUAWAD. Que représentait le théâtre de Gratien Gélinas et de Marcel Dubé, pour toi, à cette période où tu étais spectateur ? Je pose la question en lien avec la langue. Quand on affirme que *Les Belles-Sœurs* est la pièce qui a mis en scène le joual, je ne comprends pas tout à fait puisque, justement, Gratien Gélinas et Marcel Dubé faisaient déjà des pièces en joual. Pour quelles raisons leur théâtre n'était pas représentatif de cette résistance dont parle Genet et qui est si importante pour toi ?

ANDRÉ BRASSARD. Parce que c'était poli. Le choc des *Belles-Sœurs* venait du texte, mais aussi de la prétention de la mise en scène. Si la pièce avait été présentée dans un sous-sol d'église, tout le monde aurait trouvé ça joli, charmant, pas compliqué, éminemment sympathique. Mais Tremblay et moi avions décidé de faire des monologues, des chœurs parlés et, surtout, de la mise en scène. Un texte en joual avait la prétention d'être une œuvre d'art. Le choc venait de là. Mais il y a eu des évènements importants. Je pense aux éditions Parti pris, au début des années 1960. À ce roman, *Le Cassé* de Jacques Renaud, écrit en joual. Mais il y a surtout que, à la fin des années 1950, pendant un certain temps, le cours classique est devenu accessible au milieu ouvrier, aux gens qui parlaient cette langue-là. J'ai fait les quatre premières années de mon cours à la commission scolaire, sans payer. Pour moi, elle est là, la vraie Révolution tranquille : que les baby-boomers aient pu accéder à l'éducation sans être obligés d'être riches.

WAJDI MOUAWAD. On a évoqué, en ouverture de ces entretiens, le flou qui entoure tes origines et qui t'a amené un jour, à l'âge de cinq ans, à dire : « Je suis le méchant ! » Est-ce que tu penses que cette histoire pourrait être, de façon plus large, l'histoire d'une culture, d'une société qui ne sait pas exactement quelle est son origine, qui n'a pas fait la paix, du moins, avec ses origines et qui, dans son incapacité à se représenter dans sa langue, sa langue interdite, mauvaise, méchante, continuellement se dit à elle-même sur le parvis de son petit balcon, devant les quelques voisins : « Je suis le méchant ? »

ANDRÉ BRASSARD. Est-ce que tu connais l'acte d'humilité ? On apprenait ça à l'école. Il y avait des actes de foi, d'espérance, de charité. L'acte d'humilité, c'était : « Mon Dieu, je ne suis que cendres et poussières. Réprimez les mouvements d'orgueil qui s'élèvent en mon âme. Apprenez-moi à me mépriser moi-même, vous qui résistez aux superbes et qui donnez votre grâce aux humbles. » On n'enseigne plus ça dans aucune école et plus aucun enfant ne récite ça à genoux. Mais l'acte d'humilité est encore là.

WAJDI MOUAWAD. Je le vois dans les acteurs, je le vois encore dans cette absolue nécessité que les acteurs, les auteurs, les metteurs en scène, ont de dire : « Ah, vous savez, nous, nous sommes des acteurs, nous sommes des gens simples et pas compliqués. Nous sommes comme les autres. Non, non, non, nous n'avons aucune prétention et nous ne voulons pas avoir de carrière. » Un tabou par rapport à l'ego, par rapport à la réussite et par rapport à la stature. C'est pour ça, par exemple, que Denis Marleau, m'apparaît, à un certain égard, choquant, parce qu'il ne va pas dans ce sens-là. Avec toute la contradiction qui l'accompagne, il affirme qu'être artiste, c'est être porteur d'une certaine stature.

ANDRÉ BRASSARD. C'est quelque chose d'important qui pourrait indiquer que les choses sont, peut-être, en train de changer.

WAJDI MOUAWAD. J'ai envie de revenir encore au spectateur que tu as été, que tu es tout de même encore, et de te demander de me parler du sentiment qui t'intéresse le plus au théâtre, celui qui fait taire en toi toute critique, pour t'éveiller, uniquement, à ce qu'il te fait éprouver.

ANDRÉ BRASSARD. Tout ce que je sais, c'est que, dans ma grande quétainerie, je pleure tout le temps quand il y a une réconciliation. Dans n'importe quoi. À la télévision, dans des téléromans niaiseux, quand du monde qui s'haït finit par s'aimer, finit au moins par se comprendre, ça m'a toujours rentré dans le cœur.

L'enregistreuse s'arrête. Wajdi et Sophie se lèvent. Rangent leurs affaires. Saluent André et sortent. André reste seul.

3

POURTANT ON N'EST PAS HEUREUSES.

Même lieu. Grand froid toujours. Lumière diaphane. L'appartement est en désordre. De-ci, de-là, des cadavres de bouteilles de Dr Pepper traînent au sol ou sur les comptoirs. Beaucoup de cigarettes dans le cendrier. André toujours à la même place. Vieux chandail sur les épaules.

Wajdi et Sophie en face de lui.

Sophie allume l'enregistreuse. André ouvre une autre bouteille de Dr Pepper. Wajdi regarde le portrait de Jean Genet, au fond, tout au fond du salon.

Silence.

WAJDI MOUAWAD. Pour aborder l'histoire de la création des *Belles-Sœurs*, j'avais envie, peut-être parce que c'est une histoire devenue mythique pour tous ceux qui font du théâtre au Québec, de te raconter ce que j'imagine, de te raconter comment je me figure que les choses se sont déroulées. Voilà ! Voici deux amis, Michel et André, qui décident de faire du théâtre. L'un écrit, l'autre met en scène. Un jour, une occasion assez incroyable se présente à eux : l'opportunité de créer une pièce pour un théâtre institutionnel, le Théâtre du Rideau Vert. Le texte que Michel a écrit nécessite une distribution importante puisqu'il raconte l'histoire de quinze femmes réunies pour coller des timbres. Mais le ciel est avec eux. Les comédiennes s'engagent dans cette aventure et André, malgré son jeune âge, parvient à imposer sa vision du théâtre. Il dirige les comédiennes et les pousse à comprendre ce qu'elles jouent, bref, à s'impliquer. La création de ce spectacle, en 1968, provoque un ramdam du tonnerre de Brest. On s'insulte entre spectateurs ; les uns sont pour, les autres contre, et un scandale éclate devant cette tragédie qui s'est approprié la langue populaire. Pour nos deux jeunes artistes, un succès, une reconnaissance. Alors, je les imagine, tous les deux, se retrouvant l'un en face de l'autre, presque en train de rigoler, se disant : « Mais qu'est-ce qui se passe ? Qu'est-ce qui s'est passé ? Qu'est-ce qu'on a fait ? C'est quoi, ça ? »

ANDRÉ BRASSARD. Ça ne s'est pas fait tout seul, ça a pris des détours. En 1964, j'étais allé voir au TNM, avec Tremblay, *Les Choéphores* d'Eschyle mis en scène par Ronfard. En sortant, on s'était dit que ce serait bien de monter une pièce avec des chœurs qui seraient écrits et joués dans notre langue. L'idée avait fait son chemin et Tremblay avait écrit le texte en 1965. De mon côté, en 1966, j'avais gagné un prix pour ma mise en scène des *Bonnes* de Genet, dans un festival d'art dramatique qui n'existe plus maintenant. L'année suivante, en 1967, pour le centenaire de la Confédération, les autorités du festival avaient décidé de ne présenter que des pièces canadiennes, dont une québécoise. Tremblay et moi, sans hésiter, on a soumis le texte des *Belles-Sœurs*, mais le projet a été refusé. C'était un jury formé de trois personnes dont certaines se sont excusées depuis. On était déçus, forcément, d'autant plus que le cadre du festival rendait le projet réalisable.

WAJDI MOUAWAD. Tu parles du point de vue de la production ?

ANDRÉ BRASSARD. Oui. Quinze comédiennes, ce n'est pas peu.

WAJDI MOUAWAD. Vous vous retrouvez donc avec un texte et personne avec qui vous pouvez le faire.

ANDRÉ BRASSARD. Personne. Alors on a tenté un coup. L'année précédente, au début de 1966, j'avais travaillé sur *Les Troyennes,* avec les Saltimbanques. À cette occasion, j'avais rencontré une fille qui connaissait personnellement Denise Proulx. Tremblay et moi, on avait vu jouer Denise, qui devait avoir 35-40 ans, dans *Le Vol rose du flamant* de Clémence DesRochers. Denise Proulx, c'était une grosse madame, très forte, très en verve. En la voyant, Michel et moi on s'était dit : « C'est elle ! Germaine Lauzon, c'est elle ! » Alors on lui a envoyé le texte. Elle nous a rappelés, emballée, enthousiaste. Il faut dire qu'elle était cantonnée aux seconds rôles de bonnes. Elle avait fréquenté le Rideau Vert et connaissait un peu Filiatrault. Elle nous a poussés à lui faire parvenir le texte. Filiatrault a trouvé ça bon, je crois. Mais l'important, c'est que le texte, et sa rumeur, ont commencé à circuler. Jacques Languirand, par exemple, qui voulait à la fermeture d'Expo 67 ouvrir un théâtre dans ce qui est devenu le Centaur, a eu le texte, j'ignore comment. Il l'a aimé et était prêt à le produire. On avait même eu un horaire de répétition. J'avais fait cinquante-huit coups de téléphone pour distribuer les rôles. Beaucoup de personnes l'ont lu, l'ont fait circuler, l'ont aimé, mais, finalement, à cause de toutes sortes de complications, le projet avec Languirand est tombé à l'eau.

WAJDI MOUAWAD. Est-ce que vous étiez tentés d'abandonner ?

ANDRÉ BRASSARD. Je ne crois pas. Les évènements se sont accélérés. Peu de temps après, Paul Buissonneau est arrivé. Mais là encore, au Quat'Sous, ça n'a pas fonctionné. Paul voulait, mais le théâtre était trop petit. Après Paul, il y a eu Hélène Loiselle et Lionel Villeneuve, qui dirigeaient le bateau-théâtre L'Escale, qui s'y sont intéressés, mais faute de moyens pour payer une distribution comme celle-là, ça n'a pas abouti. Malgré ces échecs, il y avait quand même un encouragement moral.

45

WAJDI MOUAWAD. Est-ce que les gens qui croyaient en votre projet étaient conscients de toutes ces démarches ?

ANDRÉ BRASSARD. Je crois. C'est de cette façon que je m'explique qu'un jour, quelqu'un, je ne sais pas qui, au CEAD, a décidé qu'il fallait donner un coup de pouce à tout ça. Et en mars 1968, nous avons fait une lecture publique des *Belles-Sœurs* avec Denise Proulx, Janine Sutto, Hélène Loiselle, Denise Filiatrault, Luce Guilbault et d'autres encore. Et comme il n'y a pas de hasard, le mari de Denise Proulx, qui était réalisateur à la télévision de Radio-Canada, a décidé de mener un reportage sur la lecture des *Belles-Sœurs*. C'est bête à dire, mais ça a catapulté l'affaire. La télé a multiplié l'événement. Ils ont présenté un reportage de quinze minutes aux nouvelles. Nous avons même été interviewés par Bernard Derome.

WAJDI MOUAWAD. Comment s'est passée la lecture ? Est-ce que vous sentiez déjà la vague que le spectacle allait provoquer ?

ANDRÉ BRASSARD. Non. Je me souviens surtout d'avoir été terriblement impressionné d'agiter mon petit bâton de chef d'orchestre devant Sutto et Filiatrault pour leur dire qu'on allait faire des chœurs en joual, que tel passage, on allait le faire avec tel rythme. Ce qui m'a aidé, c'était la présence de mes amies, d'Hélène Loiselle, de Rita Lafontaine. Luce Guilbault était prête à vendre son âme au diable pour jouer là-dedans.

WAJDI MOUAWAD. De quoi était-il question suite à la lecture parmi ceux qui y ont assisté ? Que ce soit dans ce reportage ou parmi le public, de quoi vous parlait-on ?

ANDRÉ BRASSARD. De la langue.

WAJDI MOUAWAD. Immédiatement.

ANDRÉ BRASSARD. Oui. Et pour ce qui est de Tremblay, la langue, durant les cinq années qui vont suivre, va masquer tout le reste. La langue. Oui. Parce que les gens qui, comme nous, n'étaient pas nés à Outremont, savaient que le monde décrit par Tremblay était vrai, mais ils ne voulaient pas le voir. Les gens étaient bousculés par une langue qui était la leur mais qui leur apparaissait vulgaire. C'était étrange. On disait par exemple que Tremblay faisait sacrer ses personnages. Dans *Les Belles-Sœurs*, il y a trois sacres. Trois ! C'est rien. Mais c'est ce que les gens ont entendu et multiplié.

WAJDI MOUAWAD. Alors qu'est-ce qu'il y avait dans la langue de Tremblay qui était heurtant qui ne l'était pas chez Gélinas ou Dubé ?

ANDRÉ BRASSARD. La rage, la rage ! La rage d'un milieu qui était mal compris dès le départ. Tout le monde pensait que l'action se passait dans des taudis. Pourtant, c'était sur le Plateau Mont-Royal. C'était middle class, mais les gens voulaient que ça se passe à Saint-Henri ! On était prêt à admettre que les pauvres étaient très malheureux à cause de la pauvreté, du manque d'éducation, des maris soûls, des femmes battues et des enfants violés. Ça expliquait le malheur. On était prêt à admettre le malheur chez les pauvres, mais on ne pouvait pas supporter de se regarder comme des êtres malheureux au-delà de nos moyens. C'était partout pareil. Quand je suis allé monter le spectacle à Toronto, deux ans plus tard, je me suis heurté à la même perception. Pour les Torontois, *Les Belles-Sœurs*, c'était du Zola. Il y avait quelque chose qui ne marchait pas. Lors d'une répétition, j'ai demandé aux comédiennes de me raconter la vie de leur personnage. Le nombre de femmes battues, de femmes violées par leur mari ; tous les clichés de Zola, des *Misérables*. Or, ce n'est absolument pas là que ça se passe.

WAJDI MOUAWAD. Où cela se passe-t-il alors ?

ANDRÉ BRASSARD. Dans une classe sociale qui, à l'époque, sans problèmes sociaux majeurs, devait être heureuse. On découvrait que, en dessous d'une apparente joie de vivre, il y avait un potentiel de rage et de violence que personne n'avait envie de voir étalé sur la place publique.

WAJDI MOUAWAD. À quoi étaient reliées cette rage et cette violence ?

ANDRÉ BRASSARD. À une illusion. C'était ça le Québec : l'illusion de la prospérité. Comme si chacun, en son for intérieur, vivait une profonde injustice : « Ils nous disent qu'on est supposées d'être heureuses parce que notre mari travaille et qu'on mange nos trois repas par jour. Pourtant on n'est pas heureuses. Pourtant il s'agit que l'une d'entre nous gagne, accède à un état supérieur pour qu'elle se transforme en tyran. »

WAJDI MOUAWAD. Ce serait donc là le sous-texte de cette pièce et de son scandale.

ANDRÉ BRASSARD. Je dois dire que c'est moi qui ai insisté là-dessus. Insisté pour que Germaine représente ce paradoxe-là. Tu sais, il y a quelque chose de résolument absurde dans cette histoire. J'ai fait des calculs : gagner un million de timbres-prime, c'est gagner, à peu près, cent livrets. Avec cent livrets, tu peux avoir, au maximum, un toaster. C'est absurde ce qu'elle a gagné. C'est rien du tout ! En plus, les organisateurs du concours forcent la femme à mériter son million de timbres-prime, parce qu'il faut qu'elle les colle ! Il faut encore qu'elle travaille. C'est de l'ouvrage, coller un million de timbres. C'est de la salive. Alors, au nom de son million, Germaine appelle ses voisines. Elle ne leur offre pas à manger. Je l'ai montée, une fois, presque comme un camp de travail. Germaine leur mettait des bavettes de barbier pour qu'elles ne se salissent pas. Elle les installait, les faisait coller et elle, elle ne faisait rien. C'était très important qu'elle ne fasse jamais rien.

WAJDI MOUAWAD. Qu'est-ce qu'elle faisait alors ?

ANDRÉ BRASSARD. Elle regardait son catalogue.

WAJDI MOUAWAD. Tu sais, 1968, c'est l'année de ma naissance. Je n'ai aucune idée, aucune possibilité de me figurer ce que le spectacle a été. Comment raconterais-tu ta mise en scène à quelqu'un qui, comme moi, n'a pas eu accès à cet événement ?

ANDRÉ BRASSARD. Il y avait beaucoup de clichés du théâtre de salle paroissiale. Il y avait les vieilles filles qui arrivaient du salon mortuaire et qui parlaient. Des sketchs que Tremblay et moi avions vus à la télé. La petite fille enceinte : « 'Ga donc si c'est plate, la petite serveuse est enceinte ! » La waitress de club soûle que son chum a abandonnée. Ce n'était que des clichés ! Mais le fait de réunir ces clichés pour leur faire atteindre une conscience collective a contribué à créer ce séisme. Pour la mise en scène, tu vois, il a fallu y aller graduellement. Celle dont le mari était chômeur, qui était donc, en principe, la seule « vraie » pauvre, commençait à voler les timbres. En cachette. Puis, tranquillement, ça se répandait. Toutes les femmes s'y mettaient. Lorsque le vol collectif était découvert, non seulement les femmes ne s'excusaient pas, mais elles réclamaient le droit de voler. Leur droit au bonheur. Le plus ironique consistait à leur faire chanter le *Ô Canada !* comme le chant de la victoire, lorsqu'elles quittaient l'appartement de Germaine emportant avec elles l'ensemble du mobilier.

WAJDI MOUAWAD. Comment a réagi madame Brind'Amour ?

ANDRÉ BRASSARD. Elle aurait préféré un chant religieux. Mais c'était impossible. Impossible. Je voulais montrer que Germaine, malgré toute sa révolte, malgré le fait qu'elle avait toutes les raisons de se révolter, restait soumise. Alors, au lieu de se révolter, elle entonnait le *Ô Canada !* avec tout le monde.

WAJDI MOUAWAD. Comment la présence de quinze femmes sur scène abordant par moments la question du corps, du sexe, du cul et de la jouissance a été perçue ? On pourrait croire que le scandale était venu de là.

ANDRÉ BRASSARD. C'est une question qui a été davantage abordée dans *À toi pour toujours ta Marie-Lou*. Celle de la condition sexuelle des femmes avant la pilule, des femmes encore soumises aux règles de la religion. « C'est ton devoir. » Tu sais, deux de mes oncles et de mes tantes sont nés à onze mois d'intervalle. On disait : « Cinq minutes de jouissance, neuf mois de patience, deux heures de souffrance, deux semaines de vacances, puis on recommence. » C'était ça, le rôle de la femme, et c'était contre ce rôle, précisément, que toute une génération de femmes a lutté. Et contre l'ignorance. Les femmes ne connaissaient de la sexualité que ce que la religion imposait. Dans *Sainte Carmen de la Main*, Tremblay fait dire à Bec-de-lièvre : « Il paraît que quand Carmen est venue au monde, sa mère, Marie-Louise, qui savait pas comment les enfants viennent, hurlait dans son lit : "J'veux pas qu'on me déchire le nombril ! J'veux pas qu'on me déchire le nombril !" Pis quand le docteur y'a eu expliqué que c'est pas par le nombril que son enfant viendrait pis qu'y y'aye dit par où, y paraît qu'a's'est levée deboute à côté du lit au beau milieu de ses douleurs en criant : "Encore moins par là ! Si les enfants passent par là, c'est que les enfants sont sales. J'en veux pas !" »

WAJDI MOUAWAD. As-tu le sentiment que vous vous êtes retrouvés, toi et tes amis, à un carrefour de tensions, tension du corps, tension politique, tension de l'esprit, tension de la langue, et que ces tensions ont trouvé leur symbole à travers *Les Belles-Sœurs* ?

ANDRÉ BRASSARD. Mais on n'était pas tout seuls. N'oublie pas que nous sommes six mois après *L'Ostidcho*. C'est là qu'on comprend les conséquences de l'accès de la classe ouvrière à l'éducation dont j'ai parlé plus tôt. La pensée n'appartenait plus uniquement à l'élite.

WAJDI MOUAWAD. Comment expliques-tu qu'aujourd'hui, en 2004, au Québec, sur les sept millions d'habitants, il y ait non loin d'un million d'analphabètes ?

ANDRÉ BRASSARD. C'est Germaine Lauzon qui a le pouvoir ! Germaine Lauzon, elle s'en câlisse des autres. C'est un des discours de l'Amérique. « J'ai réussi. Pourquoi les autres ne réussissent pas ? Regardez Rockefeller ! Il a commencé en vendant ses journaux cinq cennes sur le coin de la rue et il est devenu millionnaire. Ceux qui réussissent, ils le méritent ! » L'idéologie catholique s'appuyait sur le même raisonnement, sauf que la récompense, elle, n'était pas pour tout de suite : tu la touchais de l'autre côté. Les élites canadiennes-françaises, les gens qui ont suivi la pensée américaine et qui ont réussi, n'ont pas eu envie de partager. Il y a eu un glissement étrange. La génération de mes grands-parents disait : « Mes enfants, en tout cas, ils vont aller plus loin que moi. » C'était une génération qui avait un désir pour la suite du monde. Mais ce discours a changé. Je ne veux pas taper sur le féminisme, parce que c'est une révolution importante et noble, mais, avec son avènement, on a entendu : « Ah ben si mes enfants pensent qu'ils vont m'empêcher de travailler et d'avoir une carrière, ils se trompent. » Aujourd'hui, nous sommes peut-être en train de rétablir quelque chose. Mais il y a toujours un danger : que l'on devienne la génération du droit et du plaisir. C'est quoi le droit au bonheur ? Le bonheur est devenu une priorité essentielle, un diktat : « Il faut être heureux dans la vie. » Je peux comprendre ça, mais dans quelle mesure ? Jusqu'où ? Quoi faire avec la solidarité ? Avec les autres ? Dans la majorité des langues occidentales, il n'y a pas de mot pour désigner ce qu'il y a de commun dans la nature humaine. On nomme la différence, mais pas la ressemblance. On est toujours tiraillés entre le « je » et le « nous ». Quand on dit « nous », on a l'impression qu'on ne parle pas suffisamment de « je » et quand on dit « je », on oublie les autres. Il y a la même absence de terme rassembleur, le même problème à dire la différence aujourd'hui suite au féminisme. On doit dire « les Québécoises et les Québécois ». En allemand, il y a le mot *Mensch*, qu'on pourrait traduire par « personne ». Ou alors par « monde », dans le sens québécois, ce que je préférerais, comme dans « c'est du bon monde », à la fois l'humanité et l'univers.

WAJDI MOUAWAD. Comment définis-tu la solidarité ?

ANDRÉ BRASSARD. Nous sommes tous pareils. Personne n'est plus fin qu'un autre, personne n'est moins quétaine qu'un autre.

WAJDI MOUAWAD. Ça nous ramène directement à cette violente reconnaissance, ce miroir insupportable que fut la création des *Belles-Sœurs*. Suite à la lecture au CEAD, le Rideau Vert décide de programmer la pièce. La création a lieu. Le spectacle est donné. Comment, Michel et toi, avez-vous vécu cette rencontre avec le public ?

ANDRÉ BRASSARD. Je ne m'en rappelle pas. On devait être fiers, j'imagine, sans être dupes de la position ironique que c'était que de présenter une pièce en joual au Rideau Vert, qui avait la réputation d'être franco-français.

WAJDI MOUAWAD. As-tu eu le sentiment de participer à un mouvement qui correspondait, à ce moment-là, au mouvement politique de l'époque ? Le Québec était tout à coup à la croisée des chemins. Il a dû, en vingt ans, construire les routes, les barrages d'Hydro-Québec, penser des systèmes équitables pour l'éducation et la santé, bref, le Québec a eu à sortir les villes des forêts. As-tu le sentiment d'avoir participé à la mise au monde du Québec moderne, du théâtre québécois ?

ANDRÉ BRASSARD. Peut-être. Mais cet effort-là a servi d'argument au référendum de 1980 : « En tout cas, on a assez travaillé qu'on le mérite, notre pays, et ceux qui sont pas d'accord avec ça, c'est des traîtres, des lâches, des imbéciles qui n'ont jamais travaillé. » L'élite, à mon sens, a tenu un discours assez étrange. Il y a eu, très nettement, pour moi, une coupure épouvantable entre les artistes et le mouvement dont tu parles qui aurait pu mener à quelque chose de grand.

WAJDI MOUAWAD. À quoi songes-tu en particulier ?

ANDRÉ BRASSARD. Il y a eu Charlebois et son *Moi pus jamais chanter en créole*. Il y a eu les compagnies qui ont fait du théâtre sans texte pour éviter la compromission des mots. Il y a eu aussi la façon dont les gens ont compris, ont récupéré Vigneault. J'aime pas dire ça, parce que je l'aime bien, Vigneault, mais *Gens du pays, c'est votre tour de vous laisser parler d'amour* a pris un sens particulier chez la plupart des gens. Voici un peuple qui vient de se mettre debout et qui considère que vingt ans d'efforts, c'est gros. Les gens qui forment ce peuple oublient ceux qui luttent pour leur indépendance depuis mille ans. « Nous autres, dans notre petit Québec, franchement, on a assez travaillé. Assisez-vous, moman, bercez-vous.

Laissez le P.Q. s'occuper de vous autres. » Moi, j'appelle ça du mépris. Et ceux qui ont vu ce mépris, qui l'ont senti comme tel, ils n'ont pas bougé parce que nous sommes un peuple pacifiste trop gêné pour se mettre en colère.

L'enregistreuse s'arrête. Wajdi et Sophie se lèvent. Rangent leurs affaires. Saluent André et sortent. André reste seul.

4

JE NE SAIS PAS, MAIS ON LE SAURA.

Même lieu.

WAJDI MOUAWAD. Lorsque je suis entré à l'École nationale de théâtre, à la première session, nous avons fait un exercice autour des textes de Tremblay dirigé par Gilles Renaud. La première semaine, nous avons lu toutes les pièces de Michel en commençant par *Les Belles-Sœurs* jusqu'au *Vrai Monde ?* qui était, en 1987, sa dernière pièce. Au cours de cette semaine de lecture, et à cause des conflits qui opposaient toujours un individu à son milieu, j'ai eu la forte sensation que Michel Tremblay était un auteur qui s'était présenté en disant à ses contemporains : « Voici qui vous êtes. »

ANDRÉ BRASSARD. Je corrige. Il a dit : « Voici comment je vous vois. » C'est important. La seule chose que je reproche à Tchekhov est justement située dans cette nuance. J'aurais aimé qu'il dise : « Messieurs, comme nous vivons mal » et non pas : « comme vous vivez mal ».

WAJDI MOUAWAD. Je suis d'accord. Or, cette société refuse d'entendre. Ce refus d'entendre me semble très présent dans deux pièces de Tremblay. Je pense à *Sainte Carmen de la Main* et *Le Vrai Monde ?*. On peut facilement transposer en imaginant que Tremblay s'adresse à ceux qui lui ont reproché d'avoir écrit *Les Belles-Sœurs*. Bref, Tremblay, c'est Claude, c'est Carmen.

ANDRÉ BRASSARD. Oui, c'est Carmen. Mais avec des nuances et des subtilités. Je vais te raconter comment j'ai compris *Sainte Carmen*. Vers la fin du travail de répétition, je fais toujours un enchaînement de la pièce dans un autre contexte que celui dans lequel on a répété. Quand on a la chance d'être dans un théâtre où se joue une autre pièce, avec un autre décor, on la joue dans un autre décor. Ça me permet de voir ce que les acteurs ont compris. Lors des répétitions expérimentales de *Sainte Carmen*, le chœur voulait tuer Tooth Pick. Pourtant, dans la pièce, tout le monde le croit. Alors j'ai dit aux acteurs : « Doucement ! Ça n'arrive jamais aussi vite que ça, une révolution. Ça se prépare de longue date. » J'ai commencé à comprendre que les gens aimaient mieux se reconnaître dans celui qui leur dit : « T'es un trou de cul fini, bouge pas de ta place ! » Parce que c'est plus confortable. Au fond de nous, on croit celle qui nous dit : « Ton âme est belle ! », mais qu'est-ce que ça veut dire, qu'est-ce que je fais avec ça le lendemain ? Je change ma vie ? Je change d'amis ? Je change de milieu ? Je change d'ouvrage ? Je change tout ? C'est trop difficile alors on préfère entendre celui qui vient après pour nous dire : « Ce n'est pas vrai, ton âme n'est pas belle, elle a ri de toi ! » La fin de *Sainte Carmen* est assez déprimante parce que ceux qui ont applaudi Carmen applaudissent Gloria quand elle revient. C'est l'histoire du Québec telle que Tremblay la percevait : nous avons tous applaudi René Lévesque, mais, le temps venu, on a été prêts à applaudir des gens qui ne pensaient pas la même chose que lui.

WAJDI MOUAWAD. Tooth Pick, pour avoir tué Carmen, comprenait qui elle était et ce qu'elle défendait.

ANDRÉ BRASSARD. Non, Tooth Pick a tué Carmen parce qu'elle savait qu'il avait une petite queue. Tooth Pick écoutait à la loge pendant que Carmen parlait à Maurice. Tooth Pick n'a pas l'intelligence, la conscience de Maurice, qui, lui, sait très bien ce qui risque de se produire. Maurice veut convaincre Carmen parce qu'il l'aime.

WAJDI MOUAWAD. Qui est Tooth Pick ? Parce qu'en qualité de méchant, on a affaire à un cas.

ANDRÉ BRASSARD. C'est un politicien. À l'époque, on pensait que c'était Robert Bourassa, mais on ne voit que des Tooth Pick aujourd'hui pour qui l'exercice du pouvoir est une compensation à la petitesse de l'organe sexuel. « Petite quéquette, grosse Corvette. » C'est encore vrai.

WAJDI MOUAWAD. Dans l'autre pièce où l'artiste s'adresse à sa famille, sa société, *Le Vrai Monde ?*, on se retrouve au milieu d'une tendresse étrange. Ce qui est insupportable, au fond, dans la dernière scène entre Claude et Alex, c'est la tendresse qu'il y a. C'est plus supportable d'entendre quelqu'un dire des bêtises à l'autre, avec colère et violence, que de l'entendre dire des bêtises avec tendresse, même à la limite inconsciente.

ANDRÉ BRASSARD. Dans les dernières mises en scène de *Carmen*, en plein milieu de la scène d'opposition, Maurice et Carmen se taisaient, se regardaient et s'embrassaient. Le plus important était qu'il s'agissait de deux êtres qui s'aimaient. Profondément.

WAJDI MOUAWAD. C'est cette tendresse que l'on retrouve entre le père et le fils et qui fait si mal lorsqu'on les entend se haïr. Or, justement, je n'arrive pas à ne pas voir cette relation comme étant la relation entre Tremblay et le Québec. Dans *Le Vrai Monde ?* un auteur dit encore une fois : « Voici comment je vois notre famille. » Celle-ci lui répond : « Tu n'as pas le droit d'écrire ça. » Je te vois, avec Tremblay, face à votre société, sauf que ce n'est pas Carmen qui est tuée mais le texte original de Claude qui est brûlé. Est-ce que cette lecture que je fais de la position de Tremblay te semble juste ?

ANDRÉ BRASSARD. Mais il y a le doute. Il y a le doute qui s'insinue chez Carmen et Claude, si tu veux. On le sent très bien dans les romans. Après *Damnée Manon, sacrée Sandra*, il n'y a plus de théâtre chez Tremblay pendant six ans. Il y a un retour dans la vie de ses personnages. Presque une manière de s'excuser, de dire : « Regardez, je les ai présentés comme ça, mais dans le fond, je vais vous montrer comment ils étaient quand ils étaient petits. » Il y avait le désir de remettre les pendules à l'heure, de dire qu'il n'était pas si méchant que ça, qu'il n'haïssait pas le monde tant que ça. Dans *Le Vrai Monde ?* ce doute est toujours là, contrairement à dans *Carmen*. Claude parle finalement après beaucoup d'hésitations. Je donnais beaucoup le temps à Claude de penser à ce qu'il faisait, le temps de se demander s'il continuait, s'il écoutait cette voix en lui qui lui disait : « Il faut que tu continues. » Tout aurait été plus simple s'il avait accepté de dire : « O.K., on la jouera pas la pièce. »

WAJDI MOUAWAD. Si le doute s'est posé aux personnages, j'imagine qu'il s'est posé à votre conscience. Comment s'est-il exprimé ?

ANDRÉ BRASSARD. Qu'est-ce qu'on fait ? C'est quoi cette histoire de création, d'art et de culture ? Qui a raison ? J'avais dit un jour qu'il ne fallait pas confondre le message et le massage. C'était un peu snob. Le message, c'est quand on est un artiste conscient. Puis le massage, c'est quand on chatouille le monde. J'ai fini par me dire, à cette période-là, en 1975 : « Mais pour qui je me prends, tabarnak ? Pour qui je me prends de vouloir dire au monde quoi penser ? » Je ne savais plus. Je me suis vraiment posé des questions. « Qui sommes-nous pour écœurer le monde en disant que ça va pas bien ? Ils savent, crisse, que ça va pas bien : ils lisent les journaux, ils écoutent la télé. Ils savent ben que le monde s'en va dans la marde, de plus en plus. »

WAJDI MOUAWAD. Le droit au repos.

ANDRÉ BRASSARD. Le droit au repos, oui. Pour quelle raison le travailleur fatigué n'aurait pas le droit de se faire masser ? Le droit de se faire conter une histoire où tout va bien ? Le droit de se faire dire que, dans le fond, il peut, avec de la volonté, arriver à quelque chose ? Plutôt que de se faire dire qu'il est fini, que son avenir est complètement bouché parce que c'est un imbécile, parce qu'il n'a pas compris, parce que sa mère ne l'a pas aimé. Je me suis souvent demandé de quel droit j'allais faire ça, moi. Je me suis rappelé Genet. Je suis revenu à Genet. À sa conviction intime. On n'a pas le droit de mentir au monde en leur disant que ça va bien.

WAJDI MOUAWAD. Qu'est-ce que la création des *Belles-Sœurs* a changé pour toi, dans ton quotidien, dans ton rapport au théâtre, dans ta manière d'aborder la mise en scène ?

ANDRÉ BRASSARD. Quelque chose de très important. Un tournant : les théâtres institutionnels se sont mis à m'embaucher.

WAJDI MOUAWAD. Pourquoi parles-tu de ces invitations comme d'un tournant ?

ANDRÉ BRASSARD. Je me suis longtemps demandé où je serais aujourd'hui si je n'étais pas entré dans le circuit institutionnel. Qu'est-ce qui se serait passé si j'étais resté le chef de ma petite troupe, à diriger un petit lieu ? Je ne sais pas. J'étais ambitieux. Je voulais faire de quoi. J'ai retrouvé un article de journal dans lequel je déclarais que si, à 25 ans, je n'étais pas sur Broadway, j'aurais raté ma vie. Il y avait la griserie du succès, l'impression d'être aimé. Le salaire était, évidemment, plus important. L'argent étant plus facile, ça me permettait de voyager. Si j'avais continué à être nomade, j'aurais continué à faire des choses pauvrement, simplement. J'aurais appris mon métier autrement et mes priorités auraient été différentes. Quoi qu'il en soit, je ne crois pas avoir été corrompu par le succès. La seule chose dont je suis vraiment fier, dont je suis responsable, c'est d'avoir résisté au succès. D'en avoir profité, mais de ne pas y avoir cru. D'être resté quelqu'un qui cherche et de n'avoir pas eu trop de concessions à faire.

WAJDI MOUAWAD. As-tu des regrets ?

ANDRÉ BRASSARD. Non. C'est comme ça. Les choses sont arrivées avec force. *Les Belles-Sœurs* a été présentée en août 1968. En janvier 1969, j'ai créé une pièce de Françoise Loranger, puis le TNM m'a demandé de monter *Lysistrata* pour ouvrir le CNA. Ce fut assez rapide. Une année folle. C'est ce qui arrive quand tu deviens la saveur du mois. Ceux qui ont des problèmes pensent que tu peux tout régler. Ils disent : « Avec votre talent, ça va se faire. » Ils oublient que le talent est une chose et que la manière de travailler est autre chose. « Venez faire ça. Non, vous ne pourrez pas répéter aussi longtemps que vous le souhaitez, mais avec votre talent… ! » Tsé, le talent, ça y fait une crisse de belle jambe ! Le pire, c'est que, justement, parfois tu réussis à faire un spectacle qui a de la valeur, donnant raison à ceux qui t'ont appelé, mais des fois tu ne réussis pas et c'est effrayant, c'est de ta faute, on comptait sur toi pour sauver un spectacle et tu as déçu. Il faut faire attention dès que tu sens que tu es en train de devenir la saveur du mois.

WAJDI MOUAWAD. Comment faire pour ne pas encourager cette tendance chez soi et chez les autres ?

ANDRÉ BRASSARD. En faisant attention aux mots que l'on emploie. J'ai toujours tenu à garder aux mots le sens qu'ils ont. Il m'arrive de dire : « C'est bien » ou « C'est pas pire ». Je me rends des fois à « très bien », mais je refuse d'aller plus loin. Quand on me dit : « Ah ! C'est extraordinaire ! », je réponds : « Oui, c'est intéressant, mais il y a un petit problème ici… » Sinon, on n'apprend plus rien.

WAJDI MOUAWAD. Bukowski disait : « Quand tu crois que t'es bon quand on te dit que t'es bon, t'es mort. »

ANDRÉ BRASSARD. Moi, je le dis autrement : « Quand tu crois que t'es bon quand on te dit que t'es bon, tu vas être obligé de croire que t'es mauvais quand on va te dire que t'es mauvais. » Personnellement, c'est un critique, Jean Basile, qui m'a sauvé la vie. Après ma mise en scène des *Troyennes* au théâtre des Saltimbanques, il avait fait un papier dithyrambique, vraiment, toute une page dans *Le Devoir*. Avec photos, il parlait d'un très grand spectacle. Il disait : « C'est une révélation, quelqu'un qui va changer le théâtre. » Mais il m'appelait Pierre Brassard. Je me suis dit que c'était là pour me faire comprendre que les compliments ne m'étaient pas forcément adressés. Ou qu'il fallait prendre ce que la presse écrit avec un grain de sel, attitude qui m'a été très utile plus tard.

WAJDI MOUAWAD. Qu'a représenté pour toi ta nomination comme directeur artistique au théâtre français du Centre national des arts ?

ANDRÉ BRASSARD. Pendant un an, j'ai parlé de mon train électrique. J'ai dit que c'était le plus gros train électrique que j'avais eu. Je me souviens de m'être assis dans la salle avec le sentiment que j'avais enfin mon théâtre. Puis, petit à petit, je me suis rendu compte que j'étais lié à un horaire, que je devais partager les lieux avec le théâtre anglais. En plus, j'ai réalisé que je ne pouvais pas faire complètement ce que je voulais.

WAJDI MOUAWAD. Pourquoi ?

ANDRÉ BRASSARD. Quand tu es le seul gros restaurant d'une région, tu ne peux pas te spécialiser. Tu ne peux pas ouvrir un grand restaurant libanais. Tu as le devoir d'être « généraliste ». Tu ne peux pas faire que de la création ou que du répertoire parce qu'il faut que tu fasses plaisir à tout le monde.

WAJDI MOUAWAD. Pourquoi dis-tu que tu as pris conscience de cette réalité pendant ton mandat ? Personne ne t'avait parlé du mandat auparavant ?

ANDRÉ BRASSARD. Non. J'ai dit : « C'est quoi la job ? » Ils m'ont dit : « Ce que tu veux. » Maudite réponse, ça ! Pas de mandat, pas d'objectifs à atteindre, rien. Ça marchait bien. Il y avait des abonnés. La première année, j'ai fait ce que je voulais : *Périclès, Britannicus, Oncle Vania.* Le public n'a pas suivi. J'avais eu la prétention d'appeler ça « une saison classique », ce qui a dû faire peur. Les autorités du Centre ont été un peu déçues. Ce qu'elles pensaient être un événement, à savoir la présence d'une vedette montréalaise au CNA, n'a pas soulevé un enthousiasme délirant. La deuxième année, on a refait *Les Belles-Sœurs* et présenté *L'Opéra de Quat'sous.* On a essayé d'être un petit peu plus proches du monde.

WAJDI MOUAWAD. Est-ce au cours de cette deuxième saison que tu as compris que, au fond, ton train électrique n'était pas si gros ?

ANDRÉ BRASSARD. J'ai réalisé simplement qu'on ne fait pas du théâtre pour soi, pour s'amuser, mais pour le public. Si on veut que le public vienne, il faut qu'on lui parle d'une façon polie et attirante. C'est vrai qu'on risque de vider la scène pour remplir la salle. C'est là qu'intervient la négociation entre le public et soi-même. J'ai compris aussi une chose importante qui a changé tout mon rapport aux abonnés : j'ai réalisé que, en gastronomie, j'ai une attitude d'abonné. Je mange toujours la même chose. Je ne suis pas tenté par ce que je ne connais pas, je n'ai aucun sens de l'aventure. Je me suis rendu compte que j'étais mal placé pour traiter les abonnés d'imbéciles, en étant un moi-même.

WAJDI MOUAWAD. Si tu n'avais pas pris la direction du CNA, aurais-tu, éventuellement, aimé prendre la direction du TNM ?

ANDRÉ BRASSARD. Pas du tout. Je n'aurais pas été capable de régler les problèmes syndicaux. Ça ne m'aurait pas intéressé, sans compter qu'il aurait fallu aussi mener le projet de rénovation du TNM. Je n'aurais pas pu. Et je n'ai pas un taux de mégalomanie assez élevé pour diriger une boîte comme celle-là.

WAJDI MOUAWAD. Penses-tu que c'est un théâtre qui exige d'être mégalomane ?

ANDRÉ BRASSARD. Oui, il faut être convaincu que c'est le seul théâtre de Montréal.

WAJDI MOUAWAD. Ce n'est pas le cas pour tous ceux qui dirigent un théâtre ?

ANDRÉ BRASSARD. Non ! L'histoire du TNM est liée à une mégalomanie constante. Gascon disait : « Nous sommes la seule compagnie au Québec », Jean-Louis Roux a toujours manqué de simplicité envers ses confrères et Reichenbach n'a pas été tellement mieux de ce point de vue.

WAJDI MOUAWAD. La mégalomanie se développe de façon assez particulière au Québec. Dans le domaine de la culture, elle est souvent liée au vedettariat. Or l'histoire du Québec et sa démographie donnent à la mégalomanie et au vedettariat une saveur paradoxale. Penses-tu qu'il est possible, étant donné ce paradoxe, d'être une vedette au Québec, une star ?

ANDRÉ BRASSARD. Depuis Céline Dion, Robert Lepage et le Cirque du Soleil, et Denys Arcand, je dirais oui. Mais toi aussi, Wajdi, tu fais partie de ces gens… Et je suis bien content pour eux. Je les envie même. Mais je suis arrivé trop tôt. Quand l'occasion s'est présentée de sortir, j'étais bien installé et j'avais pas envie de vivre cette vie-là. Au début des années 1970, Tremblay s'est fait offrir par Cacoyannis de monter *Les Belles-Sœurs* à Paris. Nous sommes allés le rencontrer. Sans m'avoir prévenu, Tremblay a dit à monsieur Cacoyannis que, lorsque ses pièces étaient jouées à l'étranger, il souhaitait que ce soit dans ma mise en scène. On est allés jouer *Les Belles-Sœurs* à Paris en 1973. On a fait une tournée dans les pays francophones avec *Marie-Lou*. Je suis allé faire la mise en scène d'*Albertine* à Paris et à Hartford, Connecticut. Ces expériences m'ont enlevé le goût de travailler rapidement avec des gens que je ne connaissais pas. Je serais volontiers sorti du Québec, mais avec mes acteurs. Tout seul, c'était trop difficile.

WAJDI MOUAWAD. Tu n'aurais pas voulu avoir une carrière hors des limites du Québec, sans nécessairement être une star ?

ANDRÉ BRASSARD. J'aurais bien aimé, c'est sûr. Il y a eu des occasions, mais on m'a présenté les choses de manière tellement peu sympathique. En quittant le CNA, je m'étais dit : « Je vais essayer de m'installer de l'autre côté. » Mais le copinage, le mémérage, la bourgeoisie étaient tellement insupportables ! Alors je ne sais pas. Ça me rappelle Filiatrault qui me disait, quand j'avais vingt-cinq ans : « Va-t'en ! Reste pas icitte ! » Je n'avais peut-être pas le courage. Je suis resté, mais sans amertume, parce que j'avais assez de travail à faire ici.

WAJDI MOUAWAD. Comment interprètes-tu le sentiment de fierté que nous éprouvons, ici, face à la reconnaissance que des artistes ont à l'étranger ?

ANDRÉ BRASSARD. L'impression d'être un personnage dans *Les Trois Sœurs* pour qui Moscou représente le lieu et le temps du bonheur, pour qui Moscou, c'est le bout du monde. L'impression que nous sommes, ici, au Québec, un personnage qui passe son temps à se dire : « Quand on va être ailleurs, quand on va être international, on va être bien. Quand on va occuper Las Vegas au complet, on va être bien. » On n'est toujours pas sorti de l'acte d'humilité : « Je ne suis que cendres et poussières. » Alors on se déguise en vedette internationale, comme s'il fallait absolument aller se faire poser un sceau de qualité en Amérique ou en Europe.

WAJDI MOUAWAD. Mais tu ne trouves pas que cette reconnaissance à grande échelle peut être un moyen de survie ? Un moyen de défense ?

ANDRÉ BRASSARD. Je pense qu'on est pris dans notre paradoxe, englués toujours dans le même crisse de problème : on est trop gros pour être petits et on est trop petits pour être gros. En ce sens, je peux comprendre le désir de certains comédiens talentueux de vouloir sortir d'une société peu peuplée. Mais moi, je me suis rendu compte que mon séparatisme, mon nationalisme partait d'un désir profond de faire partie d'un petit pays. Les petits pays n'ont pas à se soucier de se péter les bretelles ; ils ont un sens des valeurs qui est davantage en harmonie avec le mien. J'aurais voulu être Hollandais.

WAJDI MOUAWAD. Tu dis : « On est trop petits pour être gros et trop gros pour être petits » ; est-ce qu'en regard à ta carrière, et à ce point tournant où tu t'es retrouvé suite au succès des *Belles-Sœurs,* tu as le sentiment d'avoir vécu ce paradoxe ?

ANDRÉ BRASSARD. Non.

WAJDI MOUAWAD. Parallèlement aux *Belles-Sœurs* et à Tremblay, y a-t-il eu d'autres rencontres qui t'ont marqué durant cette période-là ?

ANDRÉ BRASSARD. Avant 1970, j'avais la curiosité de connaître ce qui se faisait ailleurs (je lisais *Le Nouvel Observateur* et *L'Avant-Scène*), mais je n'avais vu que des spectacles à Montréal. Avec mon cachet des *Belles-Sœurs* et de *Lysistrata*, je me suis payé des voyages à Paris et à New York où j'ai découvert le Living Theatre et le Performing Garage. Ça a eu une incidence sur la mise en scène de *Double Jeu* de Françoise Loranger, un spectacle sur l'identité. L'action se déroulait dans un cours de personnalité. Un cours du soir. La pièce était composée d'une série de tests. J'avais demandé aux acteurs de prendre un temps pendant le spectacle pour se nommer et raconter un moment de leur vie. Il y avait aussi la possibilité pour le public de monter sur scène et d'improviser. Ça a donné le scandale de l'assassinat du coq, le soir de l'avant-dernière.

WAJDI MOUAWAD. C'est un geste de Lionel Villeneuve, n'est-ce pas ?

ANDRÉ BRASSARD. Non, non, non ! C'était un groupe d'action terroriste culturelle.

WAJDI MOUAWAD. Pourquoi le nom de Lionel Villeneuve est-il lié à cette histoire ?

ANDRÉ BRASSARD. Parce que Lionel a été un héros. Il jouait dans la pièce avec Dyne Mousso et plusieurs de mes amis. Dans la première partie du spectacle, il y avait deux scènes où tout était raconté, puis, à l'entracte, on disait au public : « Ceux parmi vous qui sont intéressés à improviser, venez nous voir maintenant et dites-nous quelle scène vous voulez faire : celles qui ont déjà été faites ou celles qui seront faites ? » On pensait qu'on allait être obligés d'engager du monde, mais, au contraire, la réponse a été épouvantable. Il a fallu qu'on donne des numéros. Le soir de l'avant-dernière, parmi ceux qui allaient improviser, deux personnes nous ont frappés. On s'est rendu compte qu'ils n'avaient pas de bas dans leurs souliers (on était au mois de janvier) et qu'ils avaient des boîtes dans lesquelles on aurait dit qu'il y avait des êtres vivants. Pendant que les spectateurs qui passaient avant eux improvisaient, on s'est rassemblés dans un coin : « Mais qu'est-ce qu'ils vont faire ? » Moi, très démocrate : « Ils ont le droit. Ils vont faire quelque chose, puis on verra bien. » Leur tour est arrivé, finalement, ils se sont installés. Ils étaient cinq au lieu de deux ! Ils se sont déshabillés. Tout nus. Ils ont sorti de leurs boîtes des poulets et un coq. Les poulets, ils leur ont cassé le cou. Et le coq, ils ont pris un couteau et ils l'ont égorgé. Avec du sang qui a revolé partout. Là, tu comprends bien, le public de la Comédie-Canadienne (qui n'était pas aussi sophistiqué que celui du TNM maintenant, mais quand même) a crié et a appelé la police. Lionel a réuni les cinq individus et leur a montré la porte des coulisses en leur disant : « Sauvez-vous par là si vous voulez pas vous faire prendre. » Moi, j'ai tenté de calmer le public : « Écoutez, excusez-nous. Je suis désolé que ce soit arrivé. C'était pas prévu, mais on est tellement ébranlés qu'on ne jouera pas la fin du spectacle. » J'avais un micro. Le monde criait. Lionel a pris le micro et il a dit : « Gang d'hypocrites ! Vous laissez tuer du monde, des enfants, au Viêtnam depuis dix ans. Depuis dix ans vous ne faites rien ! On tue des animaux et vous vous énervez. » Des spectateurs nous disaient que notre devoir était de continuer. On s'est encore rassemblés puis j'ai fini par décider : « O.K. On va finir le show. »

WAJDI MOUAWAD. Qu'est-ce que ça ouvrait, toutes ces aventures ? À quoi ça te faisait penser, à quoi ça te faisait rêver ?

ANDRÉ BRASSARD. Je profitais du moment présent. J'avais envie de faire quelque chose et je le faisais. Je voulais faire du cinéma : je suis allé à l'ONF et on m'a dit oui. J'ai fait *Françoise Durocher, waitress.* C'est ça qui était extraordinaire. Dès que j'avais envie de faire quelque chose, je le faisais. Par ailleurs, ça a commencé à me peser d'être « l'épouse » de Tremblay et j'ai eu envie de revenir à mes premières amours, à l'avant-garde française. Tout était là, je crois : le plaisir extraordinaire d'être dans une salle de répétition avec des acteurs et de chercher quelque chose.

WAJDI MOUAWAD. Quelle était cette chose que tu cherchais ?

ANDRÉ BRASSARD. Ce qu'il y a dans le texte. Aller là où va le texte. J'ai toujours considéré le théâtre comme un voyage. Un jour, tu vois un documentaire ou tu lis sur un pays, sur une ville. Ça éveille un désir. Tu te dis : « Ah ! J'ai le goût d'aller là ! » C'est la même chose pour les pièces. Dès qu'on commence à les travailler, on s'y promène, mais on a une attitude double : on va à pied en examinant les vitrines, les coins de rues, les monuments, puis, de temps en temps, on a recours à la carte pour voir où l'on se trouve, pour se situer. C'est dans le local de répétition que j'ai développé ce rapport à la carte. Le plaisir de s'attarder aux détails et le besoin de revenir à la carte en se demandant ce que l'on doit faire avec ces détails, en cherchant à trouver leur place exacte, en s'interrogeant sur ce qu'on a vu avant-hier par rapport à ce qu'on a vu hier. C'est l'attitude idéale, une attitude qu'on devrait constamment conserver : l'alternance entre l'attention au détail et la vue aérienne.

WAJDI MOUAWAD. Est-ce qu'il y a des rues, des ruelles, des banlieues de ces villes-là que tu n'as jamais su visiter ?

ANDRÉ BRASSARD. Tellement. Par exemple, la vengeance, le cycle de la vengeance. C'est une chose que je n'ai jamais vraiment comprise. Si on n'est pas du côté du bourreau, on est du côté de la victime. Et j'aime mieux être du côté de la victime parce qu'on est en meilleure compagnie.

WAJDI MOUAWAD. Je crois, pour ma part, qu'il existe encore une troisième position. Celle du juge. Je reprends là-dessus la parole de Camus qui croit que l'artiste appartient à chacune de ces trois positions, sans appartenir à aucune d'elles. L'artiste étant celui qui peut tour à tour être le bourreau, la victime et le juge, changeant aussitôt de position dès qu'il a acquis l'une d'elles. Devenant à la fois solitaire, mais solidaire.

ANDRÉ BRASSARD. Tennessee Williams disait que rien de ce qui est humain ne doit nous être étranger. On fait du théâtre pour explorer les différentes facettes de l'être humain, pour se rappeler que nous sommes solidaires par notre différence. La seule chose qu'on partage, tout le monde, c'est la différence.

WAJDI MOUAWAD. On fait du théâtre pour montrer la nature humaine dans sa contradiction et dans sa profondeur.

ANDRÉ BRASSARD. Oui. Schopenhauer dit que ne pas aller au théâtre, c'est comme faire sa toilette sans se regarder dans le miroir. C'est ce que je pense, parce que je suis un moraliste sans doute. Tu aimes ton père, mais ton père est un ivrogne, un alcoolique et tu veux lui faire comprendre à quel point il se fait du tort. Tu ne le joueras pas comme un gros ivrogne qui n'a pas d'allure.

Tu vas lui montrer que tu comprends son besoin de fuir. Tu vas lui montrer, quand il fuit, de quoi il a l'air et ce qu'il fait, mais avec une sorte d'affection tout de même. Tu ne lui vargeras pas dedans pour dire à tes frères, à tes sœurs : « Tuez-le. » Je pense que c'est ça. Malgré tout ce que je peux dire de cynique ou d'éloigné sur l'humanité, je reste profondément attaché à une certaine morale. Ça m'a fait plaisir, quand j'ai lu cette phrase que tu viens de citer de Camus : « Solitaire, mais solidaire. » C'est dans son *Discours de Suède*. Ça m'a beaucoup appris quand tu me l'as fait lire, ça m'a appris que l'artiste ne doit pas couper le cordon ; s'il veut parler de sa société, il doit continuer à en faire partie. Mais il doit être capable de reculer un peu pour avoir un point de vue.

WAJDI MOUAWAD. Comment fait-on pour tenir cette position ?

ANDRÉ BRASSARD. Je ne sais pas, mais on le sait. En prenant conscience de la difficulté.

WAJDI MOUAWAD. Être conscient change quoi à la difficulté ?

ANDRÉ BRASSARD. Ça change. Par exemple, quand tu expliques aux acteurs quelque chose pendant longtemps, quand tu leur racontes ta vie, ou quand Brecht dit que l'acteur doit connaître le rôle qu'il joue dans la pièce, et non pas son personnage, son rôle ! quand tu t'acharnes à dire des mots, des idées, tout ça ! Eh bien, je me suis souvent demandé : « Mais oui, mais qu'est-ce que ça va changer ? » Ça va changer. C'est entré dans ta tête, ça va changer. Je ne peux pas te dire ce que ça va changer, je ne peux pas t'indiquer le changement dans ta façon de te tenir les mains, de marcher, de parler. Mais ça va changer parce que la conscience change toujours quelque chose. Ce n'est pas codifiable, on ne peut pas écrire *Les soixante-quinze réactions au théâtre* car, au théâtre, on est dans la multiplicité de l'âme humaine et des individus.

L'enregistreuse s'arrête. Wajdi et Sophie se lèvent. Rangent leurs affaires. Saluent André et sortent. André reste seul.

5

ÉLOGE DE LA POURRITURE

Même lieu. Des fenêtres entrouvertes laissent passer la première brise du printemps. Manteau de cuir léger sur les épaules de Wajdi. André en noir. Toujours la lumière.

Sophie allume l'enregistreur. André éteint sa cigarette.

Silence.

WAJDI MOUAWAD. La première fois que j'ai entendu parler de toi, j'étais au Cégep. Cela ne faisait pas très longtemps que j'étais arrivé à Montréal. Le responsable du département de théâtre était venu nous voir en nous disant : « Là, vous foxez votre cours de math et vous allez au TNM pour voir *Les Paravents* de Jean Genet, dans la mise en scène d'André Brassard. » On y a été. Je me souviens de n'y avoir pas compris grand-chose, d'avoir été placé devant un événement qui me dépassait. Je me souviens d'être sorti de là en sachant que je venais de voir quelque chose de « pas normal », sans me poser la question à savoir si j'avais aimé ou non. Je sentais que la question était ailleurs et, si je ne parvenais pas à me la poser, c'était parce que je venais d'être déplacé. Je me souviens aussi des gens qui sortaient. Comment cette production s'inscrit dans ton trajet de metteur en scène ?

ANDRÉ BRASSARD. Olivier Reichenbach m'avait proposé de faire *Les Nègres*. Je l'ai alors relue puis je me suis dit : « Ça se peut pas. On peut pas faire *Les Nègres*. On n'a pas le droit, on n'est pas noirs. »

WAJDI MOUAWAD. Tu aurais pourtant tout autant pu te dire : « Je ne suis pas Arabe, je ne monte pas *Les Paravents*. »

ANDRÉ BRASSARD. C'est vrai. Mais j'avais déjà travaillé sur *Les Paravents*. J'avais déjà mis en scène la pièce. Un long processus. Je l'avais d'abord abordée à l'École nationale lors d'un exercice de deuxième année. Uniquement quelques scènes. Pour voir si. Et j'ai vu que oui, que je comprenais à peu près d'où ça venait et vers où ça allait. Puis je l'ai montée en spectacle public à l'École nationale, encore. Le sentiment s'est précisé. J'avais l'impression que ça se tenait, que ça valait la peine, que ce que je ressentais était assez cohérent et que je pouvais faire approuver mes sentiments au « bureau-chef » (c'est comme ça que j'appelle le cerveau).

WAJDI MOUAWAD. Qu'est-ce qui te bouleversait au point de vouloir y revenir tout en étant incertain de ta capacité à comprendre et à monter cette pièce ?

ANDRÉ BRASSARD. Je voulais parler de l'exclusion, de la nécessité de l'exclusion, et de la richesse de l'exclusion pour la société. Un éloge de la pourriture. Toutes les sociétés ont besoin de la pourriture. Sans fumier, il n'y a pas de fleurs. L'intelligence de cet homme face à son monde me bouleversait. L'analyse qu'il a faite de la Révolution, de cette fausse révolution qui n'avait que les apparences d'une vraie révolution, puisque, l'histoire nous l'a prouvé, ce n'était qu'un mouvement qui disait : « On les a chassés, on prend leur place et leurs comportements. »

WAJDI MOUAWAD. Mais comment est-ce que cette notion de révolution pouvait être comprise ici ?

ANDRÉ BRASSARD. Elle était transposée. Chacun est présent à travers le personnage de Saïd, qui est un peu Genet. Saïd est très ambivalent face à la révolution. Il se sauve, il ne veut pas être récupéré. Il se sauve comme Genet s'est sauvé après *Les Paravents* pour aller faire du militantisme plus immédiat, refusant de devenir la figure de proue, le représentant d'un mouvement qu'il était en train de devenir. Saïd est ambivalent puisque, initialement, il désire ce rôle. Au début de la pièce, il souhaite que son nom devienne un nom commun. Il dit : « Un jour, si je réussis, on dira : "À côté de Saïd, c'est du nougat." » Mais, tranquillement, il se rend compte du piège que ça représente de devenir un personnage. Et il a l'instinct de partir, poussé par sa mère, la grande conscience de toute la pièce. Elle lui dit : « Saïd, je ne t'ai pas mis au monde pour que tu sois un de plus, un de moins. Va-t'en. » Et Saïd se sauve. Il n'est pas dans la dernière scène. Tous se demandent où il est passé. On répond : « Dans une chanson ? » C'est la dernière réplique. Saïd a l'instinct de la marge. À côté des autoroutes, il y a toujours des accotements et des petits chemins. Voilà le marginal. L'exclu. Nécessairement, il est celui qui sert à élargir l'autoroute. Lorsque Genet a senti qu'on se servait de lui, comme tapette de service ou comme bandit de service, il est parti, se sentant d'abord responsable envers la vision qu'il avait de son rôle d'écrivain et non pas envers la vérité.

WAJDI MOUAWAD. On parle souvent de la marginalité comme d'une chose entendue. Comme si elle était un choix difficile à faire, mais que certains ont le courage de faire. Mais est-ce un choix ou un état dont tu ne prends conscience que plus tard ? Est-ce que c'est possible de se dire : « Il faudrait que je sois un marginal ? »

ANDRÉ BRASSARD. Non, non, non. C'est un appel, une « vocation ». C'est réaliser que, lorsque l'on fait les choses comme tout le monde, on ne les réussit pas, alors qu'un étrange bien-être nous envahit dès que l'on agit d'une manière personnelle, autant dans la vie que dans le métier.

WAJDI MOUAWAD. La marginalité serait donc une chose agréable ?

ANDRÉ BRASSARD. Agréable et désagréable. Moi, je suis un marginal récupéré. Je ne fais plus peur à personne. Être marginal, c'est faire peur.

WAJDI MOUAWAD. Je ne sais pas. Tu es un marginal parce que tu te fais peur. Personnellement, je me sens étrange dans mon rapport avec ma langue maternelle. Je suis un peu perdu. Ça ne semble pas avoir un lien avec notre sujet, mais dernièrement, je me suis demandé : « Comment se fait-il que je maîtrise aussi bien le français ? Comment se fait-il que je l'aie autant intégré ? »

ANDRÉ BRASSARD. Tu ne te fâches pas en arabe ?

WAJDI MOUAWAD. Pas du tout. Alors, est-ce que tout cela n'est pas un peu monstrueux ? La marginalité, je la ressens essentiellement à travers ce sentiment de monstruosité. La sensation d'être un mutant. Je me fais peur. Je passe mon temps à me demander où tout cela est passé au fond de moi. Qu'est-ce qui se cache ? C'est pour cette raison que je n'arrive pas à croire quelqu'un qui revendique sa marginalité. Pour moi, c'est se donner en spectacle. Je ne crois pas que ta marginalité, car tu es marginal, il n'y a qu'à te regarder et t'écouter, ne soit liée qu'à ton homosexualité, mais plutôt, et surtout, à ton refus d'obéissance. La preuve en est que tu ne supportes pas ces discours qui entourent le droit au mariage gai.

ANDRÉ BRASSARD. D'abord, je ne comprends pas que le monde puisse avoir envie de se marier. C'est une affaire qui me laisse les deux bras ballants. Je ne comprends pas. Mais il faut être ouvert. Comme ceux pour qui c'est important d'avoir une collection de chiens en phentex. Ils ont le droit. Mais ça me fait de la peine de voir des homosexuels vouloir devenir « normaux » à ce point-là. Quand on voit où les normes ont mené l'humanité, on se dit que peut-être la marge n'est pas un endroit si inconfortable.

WAJDI MOUAWAD. Est-ce que tu aurais tendance à réclamer l'homosexualité comme une marginalité qui te fait créer ?

ANDRÉ BRASSARD. Non, parce que j'ai toujours eu l'impression, la prétention que, en plus de me donner un point de vue privilégié, ça ne m'empêchait pas d'être une personne ordinaire.

WAJDI MOUAWAD. Donc la marginalité n'y est pas liée ?

ANDRÉ BRASSARD. Tu sais, c'est pas la fin du monde, être tapette. C'est une affaire qui te compose, comme autre chose, mais c'est pas tout. Et puis d'ailleurs, c'est très étrange. Les gens qui revendiquent leur droit à la différence à travers elle se ressemblent tous. Dans les bars, tu dois ressembler à tout le monde.

WAJDI MOUAWAD. Es-tu misogyne ?

ANDRÉ BRASSARD. Je suis davantage « misandre » que misogyne. Je me suis toujours plus identifié aux femmes qu'aux hommes. Dans un film de Michel Langlois, *Cap Tourmente*, j'ai eu à donner un coup de poing à Roy Dupuis. Ça a été très difficile pour moi. Une chance, le montage est bien fait et Roy a été gentil. C'est comme conduire une voiture. Ou boire de la bière.

WAJDI MOUAWAD. Mais une femme peut donner un coup de poing, conduire une voiture, boire de la bière !

ANDRÉ BRASSARD. Ce sont des images que j'ai depuis ma petite enfance et que je n'ai pas mises à jour. Je n'ai jamais été capable de dire que j'étais un homme. Pourtant, il y a « andr » dans André. Un gars, je peux vivre avec, mais un homme, non. Je dis que je suis un gars de théâtre, pas un homme de théâtre.

WAJDI MOUAWAD. Comment ton homosexualité intervient-elle dans ta relation avec les hommes et les femmes avec lesquels tu travailles ?

ANDRÉ BRASSARD. J'ai toujours eu plus de plaisir à travailler avec des femmes ou avec des homosexuels. J'ai mis beaucoup de temps à pouvoir être à peu près bien avec les hétéros mâles. À la première lecture des *Sorcières de Salem* chez Duceppe, en 1985, je suis arrivé dans la salle de répétition et j'ai réalisé qu'il y avait vingt gars et seulement quinze filles. Ça m'a fait un choc épouvantable. Je me suis dit : « Je serai pas capable. » Maintenant, ça s'est atténué.

WAJDI MOUAWAD. Il y avait pourtant beaucoup d'hommes chez Tremblay.

ANDRÉ BRASSARD. Ce n'étaient pas des gars dangereux.

WAJDI MOUAWAD. Avez-vous l'impression d'avoir réussi à assumer votre homosexualité tous les deux ?

ANDRÉ BRASSARD. Oui. On a même fait un petit scandale à Cannes. *Il était une fois dans l'Est* était présenté en compétition. On n'a pas été couverts de lauriers, mais on est revenus avec un beau teint parce qu'on passait notre temps sur la plage. À la conférence de presse, on nous a demandé : « Mais pourquoi êtes-vous attirés par les marginaux ? » J'ai dit : « Probablement parce qu'on est homosexuels. » En 1972. Il y a eu un silence. Ils ne l'ont pas mis dans les journaux. Ça ne se disait pas.

WAJDI MOUAWAD. Qu'est-ce qui t'a aidé à l'assumer à une époque où le dire était interdit ? Aujourd'hui encore, malgré l'apparence d'ouverture, c'est une chose qui demeure difficile à révéler.

ANDRÉ BRASSARD. Mais j'ai quand même un problème. Je ne réponds pas à mes critères. Comme dit Woody

Allen, je ne voudrais pas faire partie d'un club qui m'accepterait comme membre. À l'époque, dans les bars, lorsque tu voyais entrer quelqu'un, tu disais « baisable » ou « pas baisable ». C'était très clair. La méchanceté homosexuelle est particulièrement virulente et elle s'est d'ailleurs répandue. C'est un monde où l'admiration est très rare. Ce n'est pas plus grave d'être homosexuel que d'être catholique ou Hongrois. Et, à l'inverse, tu ne peux pas te dire : « Je suis fif : ma vie est faite. »

WAJDI MOUAWAD. Tu n'aimeras peut-être pas ça, mais j'ai le sentiment, quand je t'entends parler de l'homosexualité, de la marginalité, de la manière avec laquelle tu refuses tout embrigadement et à travers les valeurs que tu défends constamment, et malgré le chapelet et malgré la voix insupportable du cardinal Léger à la radio, j'ai le sentiment que tu es profondément croyant.

ANDRÉ BRASSARD. Sans doute. Sans doute. Mais ce n'est pas parce qu'on croit en Dieu qu'on l'aime. Pour moi, c'est un enfant de chienne qui est à l'origine (par des mythologies comme celles que l'on retrouve dans la Bible) de la plupart des maux dont on souffre aujourd'hui : le racisme, la vengeance, « œil pour œil, dent pour dent ». Un Dieu très autoritaire, velléitaire, capricieux, incohérent, qui punit et qui récompense pour des raisons bassement politiques. Vraiment, ce n'est pas de ce Dieu-là dont on avait besoin. Je ne sais pas, malheureusement, comment on peut faire le lien entre Bouddha et les Khmers rouges. J'ai davantage de sympathie pour Jésus, mais je ne peux pas m'empêcher de constater qu'en devenant une institution, le christianisme a perdu de sa beauté. C'est la première leçon qu'on devrait retenir de l'institutionnalisation des choses : en voulant atteindre un but, on met en place une machine qui nécessite des soins qui deviennent plus importants que le but à poursuivre. Le même phénomène existe dans les « industries » culturelles, en édition, par exemple, ou au théâtre, par rapport à l'abonnement : on ne fait pas nécessairement ce qu'on voudrait faire, mais il faut bien nourrir la machine.

L'enregistreuse s'arrête. Wajdi et Sophie se lèvent. Rangent leurs affaires. Saluent André et sortent. André reste seul.

6

DANS L'EAU BOUILLANTE

Même lieu.

WAJDI MOUAWAD. En 1992, tu vas mettre en scène, pour le Théâtre du Nouveau Monde, *En attendant Godot* de Samuel Beckett. Ce qui semble avoir été marquant pour toi lors de cette création, c'est le revirement complet que tu as donné à la direction du spectacle en plein milieu des répétitions.

ANDRÉ BRASSARD. Pas en plein milieu, non. Un peu avant.

WAJDI MOUAWAD. Raconte-moi.

ANDRÉ BRASSARD. Le TNM m'a offert *Godot*. Je l'avais déjà fait à la NCT, en 1971, avec Jacques Godin et Gérard Poirier. J'ai dit au directeur artistique de l'époque, Olivier Reichenbach : « Appelle Normand Chouinard et Rémy Girard. S'ils le font, je le fais. » Ça a marché. On a commencé les réunions de conception. Dans les théâtres institutionnels, avec des saisons et des abonnés, on fait des réunions de conception pour parler des concepts qui vont organiser la mise en scène alors que tu ne sais pas encore de quoi parle la pièce. Tu le sais parce que tu l'as lue, mais lire sur la Chine et aller en Chine, ce n'est pas pareil. Alors tu improvises. Tu dis : « O.K. Moi ce qui m'intéresse, c'est ce côté-là. »

WAJDI MOUAWAD. Sur quoi vous êtes-vous entendus lors de cette première réunion ?

ANDRÉ BRASSARD. À l'époque, il était beaucoup question de l'itinérance. Alors on s'est engagés dans une conception qui situait l'action sur le bord d'une track, avec des sans-abri. On a répété deux semaines. La production était dessinée, le décor était dessiné, les costumes étaient dessinés. Un jour, alors que j'étais assis dans la rame d'un métro pour aller à la répétition, je me suis dit : « Où c'est qu'on est rendus ? Ça marche pas cette affaire-là. On n'est pas sur la bonne voie. » Je me suis dit : « Si tu t'es trompé, recule, reprends du début. Pourquoi Normand et Rémy ? C'est un duo fantaisiste. Alors c'est quoi, c'est *the odd couple*, presque ? Et pourquoi pas ? » Ce sont deux vieux clowns dans un cirque, mais des cirques comme il n'y en a pas chez nous. L'équivalent serait le « théâtre des variétés ». Je suis arrivé à la répétition. Le scénographe et les comédiens étaient là. Je leur ai raconté tout ça. Les acteurs ont dit : « Coudonc, c'est pas fou. » On a essayé un petit bout. Il y avait un piano dans la salle de répétition. Rémy et Normand sont très polyvalents, très ouverts. Ils se sont mis à improviser. Les collaborateurs ont embarqué. On a travaillé un après-midi, on a fait des petites ébauches. Ça prenait un sens tellement plus proche de nous, tellement moins sociologique, plus théâtral.

WAJDI MOUAWAD. Qu'as-tu fait après cette répétition-là ?

ANDRÉ BRASSARD. Je suis allé voir le directeur de production. Je lui ai demandé s'ils avaient commencé à construire le décor. Il m'a dit : « Non, c'est prévu pour demain. » « Bon, appelle-les et dis-leur de ne rien commencer. On a changé d'idée. » « Oui mais là… » « Je connais tes délais. On va faire avec ce qui va rester. S'il y a déjà des dépenses d'encourues, tant pis ; c'est moi qui change d'idée, c'est moi qui vis avec ça. » Alors on a commencé à travailler avec ce qu'il y avait dans la salle de répétition. Une patère a joué le rôle de l'arbre. C'est ce que je trouvais de plus joli. Dans le texte, au deuxième acte, il y doit y avoir une feuille sur l'arbre. Alors, au deuxième acte, il y avait une feuille sur la patère.

WAJDI MOUAWAD. Dans les jours qui ont suivi le moment où tu as changé de direction, est-ce que tu as douté de ta décision ?

ANDRÉ BRASSARD. Non, parce que j'ai été suivi par l'équipe. Mais quelqu'un m'aurait dit : « Es-tu sûr ? C'est du trouble… », quelqu'un aurait douté une seconde, j'aurais dit : « Ah, O.K., c'est correct, oubliez ça. » Mais ça m'aurait rongé tout le temps.

WAJDI MOUAWAD. Y a-t-il beaucoup de théâtres où tu as eu le sentiment d'être au centre du lieu lorsque tu étais invité à faire des mises en scène ? Où tu avais le sentiment que c'était l'équipe du théâtre qui s'adaptait à toi et non pas toi à elle ?

ANDRÉ BRASSARD. Au Quat'Sous, c'était pas trop mal, même dans les débuts. Sauf que les réunions de production consistaient à choisir ce qui, dans le stock de Paul, pouvait servir de décor. Mais c'est le théâtre où je me suis senti le plus libre d'apporter des suggestions quant au choix du texte.

WAJDI MOUAWAD. En 1990, tu as mis en scène, au Quat'Sous justement, un spectacle important : *La Charge de l'orignal épormyable* de Claude Gauvreau. La critique autant que le public a salué la force de cette production. La décharge, sans vouloir faire de jeu de mots avec le titre de la pièce, fut telle qu'Olivier Reichenbach, alors directeur artistique du TNM, a décidé de programmer la production la saison suivante pour permettre à plus de spectateurs de la voir. Il est exceptionnel qu'une compagnie de création importante reprenne le spectacle d'une autre compagnie de création tout aussi importante. Comment cette aventure a-t-elle débuté ?

ANDRÉ BRASSARD. C'est Pierre Bernard qui m'avait fait lire le texte. Je lui avais dit : « Il y a trop de souffrance. J'ai pas envie d'embarquer là-dedans. Ça va faire trop mal. » Pierre a insisté. Alors j'ai dit : « O.K. Si Godin le fait, je le fais. » Mais j'étais sûr que Godin ne le ferait pas, qu'il n'en aurait pas envie. J'ai appelé Jacques et il a dit : « Aaaaaah ! J'ai ben du texte à apprendre ! » Je lui ai proposé une affaire : « On fait une semaine d'atelier et on voit si on peut faire quelque chose ensemble. » Évidemment, j'ai oublié de dire la même chose aux autres acteurs. Alors on a embarqué pour ne plus débarquer. *La Charge* fait partie de mes aventures importantes parce que je pense avoir réussi à communiquer au public ce que je ressentais. Cette saison-là, d'ailleurs, j'ai fait trois spectacles sur le Québec : l'opéra *Nelligan*, *Bousille et les justes* de Gratien Gélinas et *La Charge*.

WAJDI MOUAWAD. Qu'est-ce qui les reliait pour que tu dises qu'ils formaient un regard sur le Québec ?

ANDRÉ BRASSARD. Dans ma tête, je les avais réunis par la question : Qu'est-ce qui arrive quand on « dépasse » au Québec ? C'est pour cette raison que, dans *La Charge*, il était important que Jacques Godin soit grand et que les intervenants autour soient des petites personnes, jusqu'à Paul Cagelet. Je voulais montrer à quel point la tentative d'élévation d'un individu rendait perceptible la petitesse des autres et créait une sorte de rage chez eux, une envie de réduire.

WAJDI MOUAWAD. Si, dans *Nelligan* et *La Charge*, le dépassement se situait dans la force poétique et la pureté foudroyante des personnages principaux, dans *Bousille*, où se situe le dépassement ?

ANDRÉ BRASSARD. Bousille, c'est l'honnêteté, la rigueur, la bonté et la pureté aussi. D'une autre manière que Mycroft et Nelligan. Bousille ne voulait pas mentir. On l'a détruit pour ça.

WAJDI MOUAWAD. Comme si chacun de ces personnages avait pu dire, lui aussi : « Je suis le méchant ! »

ANDRÉ BRASSARD. Mon Dieu ! Oui ! Mais pas tous sur le même ton.

WAJDI MOUAWAD. Pour ces trois productions, comment s'est effectué le travail sur le texte ?

ANDRÉ BRASSARD. J'ai coupaillé. De manière différente, mais j'ai coupaillé. Le travail sur *Nelligan* s'est fait plus difficilement. Tremblay n'avait pas bien cerné les questions que soulevait le personnage. Comme j'étais très occupé ailleurs, je n'ai pas pu travailler à l'écriture du texte et de la musique. Un opéra, c'est plus difficile à coupailler parce que la musique n'arrive plus.

WAJDI MOUAWAD. Comment coupailles-tu, concrètement ?

ANDRÉ BRASSARD. Quelque chose me dit : « Il manque une scène, là, et celle-là est de trop. » Ou alors : « On n'a pas besoin de dire ça. On le comprend. On l'a déjà compris. » Monsieur Gélinas était très comique, d'ailleurs. Il avait fait de grandes déclarations de respect à mon endroit. J'ai dû pourtant couper quelques répliques parce que c'était une pièce qui datait de la fin des années 1950. Il y avait des choses qu'il disait trois fois pour être sûr que le public comprenne. La première fois qu'il est venu voir un enchaînement, il a noté dans son texte toutes les répliques qui n'étaient plus là. Après il est venu me dire : « Vous savez, André, à ce moment-là, il y avait cette réplique-là et c'était bon. Le monde aimait ça. » « Monsieur Gélinas, il y avait ça, mais il y avait aussi le fait que ça avait déjà été dit deux fois par tel personnage. » « Ah oui ! Ah ! C'est correct !

Vous avez raison, vous avez raison… » Et le lendemain, c'était sur une autre réplique. Tremblay a été rassuré lorsqu'il s'est rendu compte que j'avais coupaillé dans Shakespeare. Il a pu dire : « Qu'est-ce que tu veux ! Il coupe même Shakespeare ! »

WAJDI MOUAWAD. Est-ce qu'à ton avis le travail de « coupaillage », comme tu l'appelles si joliment, est un travail qui revient à tous les metteurs en scène ? Est-ce qu'il faut savoir le faire pour être un metteur en scène ?

ANDRÉ BRASSARD. On emploie le titre de metteur en scène autant pour Robert Lepage que pour un agent de circulation. Il y a, d'un côté, le créateur qui a une vision. Parfois, il devient auteur en même temps et je pense l'avoir été quand je faisais des collages et même lorsque je faisais des coupures. D'une certaine façon, oui, il faut avoir une vision, mais il n'y a pas une seule façon de tenir un point de vue.

WAJDI MOUAWAD. Qu'est-ce que c'est, justement, un point de vue ?

ANDRÉ BRASSARD. C'est l'impression qu'un texte te fait profondément éprouver. Parfois, tu y trouves une violence ou une forme de mesquinerie. Quelque chose qui explique les comportements de l'espèce humaine. Faire une mise en scène, c'est avoir envie de partager cette compréhension et cette impression au spectateur.

WAJDI MOUAWAD. Savoir ce que l'on veut dire, en quelque sorte ?

ANDRÉ BRASSARD. Le mot « vouloir » devrait être banni. La question n'est pas : « Qu'est-ce que tu veux dire ? », mais : « De quoi tu parles ? » Les Anglais sont plus *what is it about ?* que *what does it mean ?* Et ça me semble plus juste.

WAJDI MOUAWAD. Est-ce que tu as déjà eu des conflits avec des auteurs à propos de coupures ou de réécritures ?

ANDRÉ BRASSARD. Rien de majeur. Mais je vais te dire la chose la plus terrible que j'ai faite à un auteur qui a osé me dire : « Oui, mais mon texte ! mon texte ! » J'ai pris son livre, je suis allé sur la scène, je l'ai ouvert. J'ai dit : « Viens-t'en dans la salle. Regarde : c'est ça, ton texte. » C'est effrayant, mais j'ai eu, un moment donné, la réputation de ne pas respecter les textes des auteurs parce que je coupais, que je changeais des scènes de place.

WAJDI MOUAWAD. Ça vient d'une énorme confusion. Celle de croire que le texte de la pièce et le spectacle tiré de cette pièce sont la même chose. Ce n'est pas la même chose.

ANDRÉ BRASSARD. Non, pas du tout.

WAJDI MOUAWAD. On a oublié que ce à quoi on assiste, c'est ce qui est là devant nous.

ANDRÉ BRASSARD. On peut raconter ce que l'on veut, vous avez le beau rôle face à l'éternité. Vos textes sont publiés et nos spectacles disparaissent. Je pense que c'est comme ça que Tremblay prend les choses. Le spectacle, c'est notre affaire. Souvent, on se retrouve face à des textes qui répondent à des conventions qui ne tiennent plus. Comme, chez Racine, les : « Oh ! Madame ! Voici le roi ! », c'est parce qu'il n'y avait pas de lumière en arrière ! Il fallait bien qu'ils disent au monde qui s'en venait ! Aujourd'hui, c'est difficile d'intégrer ce genre de phrases.

WAJDI MOUAWAD. As-tu coupaillé Racine ?

ANDRÉ BRASSARD. Oui. Quand j'ai monté *Andromaque*, au Quat'Sous, je trouvais que la dernière scène du troisième et la première scène du quatrième acte disaient la même chose. Je les ai cousues ensemble. Mais ce n'était pas du coupaillage. C'était du retouchage. Quand j'ai fait *Iphigénie* à la Nouvelle Compagnie théâtrale, je me suis permis une chose que je ne pensais jamais faire : changer des mots. Il y avait Troie et Ilion qui représentaient la même ville. Mais Ilion, ça perdait les gens. Je n'ai pas trop hésité. J'ai même défait des rimes pour que ça reste le plus simple possible.

WAJDI MOUAWAD. Est-ce que cette situation témoigne d'un vieillissement du texte, d'un décalage culturel, ou tout simplement d'un manque de culture ?

ANDRÉ BRASSARD. D'un manque de culture.

WAJDI MOUAWAD. Est-ce qu'il y a des textes qui nous disent : « Vous n'êtes pas assez cultivés pour que vous puissiez me présenter ? »

ANDRÉ BRASSARD. Non. Si le metteur en scène comprend, il peut trouver la solution. Dans *Richard III*, la guerre des Deux-Roses n'était pas familière à tout le monde. Alors on codifie. On met des costumes d'une couleur pour les uns, d'une autre couleur pour les autres. C'est un peu débile, mais ça passe, finalement. Quand la fille habillée en blanc épouse le roi habillé en noir, on comprend qu'elle change de camp.

WAJDI MOUAWAD. Tu as utilisé beaucoup le mot « coupailler ». C'est un mot qui donne l'impression d'un travail très artisanal et sans valeur véritable. Pourquoi n'utilises-tu pas le mot « réécrire » ?

ANDRÉ BRASSARD. Parce que ce n'est pas vraiment de l'écriture. Je n'ai jamais eu la prétention d'écrire.

WAJDI MOUAWAD. On a évoqué tour à tour des pièces de Racine et des pièces de Gratien Gélinas. L'un est vu comme un grand tragédien, l'autre comme un auteur dramatique. Tu es toi-même passé souvent d'un univers dit « tragique » à un univers dit « dramatique ». Quelle différence existe-t-il entre le drame et la tragédie ?

ANDRÉ BRASSARD. Dans la tragédie, les personnages n'ont pas le pouvoir ni la possibilité de faire dévier le cours des choses. La fin de la pièce n'aurait jamais pu être différente. Comme la vie. Alors que le drame me semble plus humain puisqu'il permet de croire que si les personnages avaient eu une autre éducation, si leur mère les avait aimés, la pièce ne se serait pas terminée de la même manière.

WAJDI MOUAWAD. Et qu'est-ce qui t'intéresse le plus, le drame ou la tragédie, dans cette optique-là ?

ANDRÉ BRASSARD. J'ai fait plus de drames que de tragédies, car j'ai fait beaucoup de créations et nous ne vivons pas dans un siècle où il s'écrit beaucoup de tragédies.

WAJDI MOUAWAD. Est-ce que le théâtre de Genet est un théâtre lié à la tragédie ?

ANDRÉ BRASSARD. Non, parce que les personnages ont le choix de leurs réactions, de faire ou ne pas faire ce qu'ils font.

WAJDI MOUAWAD. Le mouvement général n'est donc pas implacable ?

ANDRÉ BRASSARD. Il est implacable parce que la nature humaine est souvent implacable.

WAJDI MOUAWAD. Et la comédie, le rire ?

ANDRÉ BRASSARD. À la création de *Marie-Lou*, au Quat'Sous, on avait l'impression, nous, d'avoir répété une tragédie. Mais les gens riaient à l'affaire du beurre de pinottes. Je marchais dans le petit couloir en arrière de la salle, entre les escaliers, avec Tremblay, et on était en tabarnak. On avait envie de rentrer dans le théâtre et de dire au monde : « Gang d'imbéciles ! C'est pas drôle ! » Puis j'ai découvert que le rire avait une qualité de lubrifiant.

WAJDI MOUAWAD. Pour revenir aux productions importantes de ton travail, tu as dit, en parlant de *Godot*, que la condition pour en faire la mise en scène avait été la présence de Normand et Rémy. Tu as posé la même condition pour Jacques Godin lorsque Pierre Bernard t'a demandé de mettre en scène *La Charge*. Existe-t-il d'autres mises en scène qui ont eu pour base une pareille condition ?

ANDRÉ BRASSARD. Lorsque Olivier Reichenbach m'a proposé *Oncle Vania* d'Anton Tchekhov, j'ai dit à Jean-Louis Roux : « Si vous ne le faites pas, je ne le fais pas. »

WAJDI MOUAWAD. J'ai, à ce sujet, pris connaissance, grâce aux dossiers et documents que nous avons trouvés sur toi et sur tes spectacles, de la distribution que tu avais faite pour *Oncle Vania*. Je crois qu'il serait intéressant d'en parler dans la mesure où il y a une étrange coïncidence entre la relation qui existait entre les acteurs que tu as choisis et la relation qui existait entre leurs personnages, et une concordance assez troublante entre le lieu où se déroule l'action et le théâtre où la pièce était présentée.

ANDRÉ BRASSARD. J'y ai pensé pendant les répétitions, mais on n'en parlait pas. Ce qu'il y avait entre les gens demeurait caché, par discrétion et par pudeur. Un souvenir très bouleversant qui me reste de cette expérience, c'est d'avoir vu les deux fondateurs de la compagnie, Jean-Louis Roux et Jean Gascon, tout gênés, demander où étaient les toilettes, le TNM ayant sa salle de répétition rue Papineau cette année-là.

WAJDI MOUAWAD. J'aimerais qu'on parle d'une autre rencontre qui a été importante dans ta carrière : comment as-tu découvert l'univers de Michel Marc Bouchard ?

ANDRÉ BRASSARD. J'ai connu Michel Marc lorsqu'il était à Ottawa. Il venait d'écrire *La Contre-nature de Chrysippe Tanguay, écologiste*, une pièce sur le mariage homosexuel et l'adoption. On l'a produite dans le petit atelier du CNA. J'avais demandé à Yves Desgagnés de la monter. Plus tard, j'ai eu l'occasion de la monter moi-même au Théâtre d'aujourd'hui. C'est à ce moment que j'ai vraiment été accroché par la lucidité de son analyse des rapports entre homosexuels. Il y avait surtout un personnage féminin qui disait des choses qu'on n'avait jamais entendues sur les rapports entre les homo-sexuels et les femmes. C'était une pièce qui était à la fois intéressante d'un point de vue dramatique et dont le contenu présentait une critique de certains travers des homosexuels, critique avec laquelle j'étais assez d'accord. En 1982, Michel Marc est arrivé avec le projet des *Feluettes*, mais c'était encore mal défini. La pièce était écrite au premier degré, sans les prisonniers. Une histoire d'amour qui finissait mal. Il manquait quelque chose. Je me suis dit aussi qu'il ne savait pas écrire son français et que, si ses personnages étaient Français, il faudrait qu'ils parlent en français. Il est donc allé voir quelqu'un à l'Université d'Ottawa qui lui a corrigé ses dialogues. Une baronne française ne peut pas dire, comme il l'avait écrit dans sa première version : « Je n'étais pas supposée d'aller là. » Une fois, je l'ai engueulé parce qu'il faisait dire à un personnage : « Nous allons recommencer. » Je me suis dit : « Si c'est *recommencer*, ça signifie que ça a déjà existé. » Je ne comprenais pas, ça ne se pouvait pas dans l'histoire. En répétition, avec les comédiens, on s'est vraiment cassé la tête à chercher ce qu'il y avait avant pour que le personnage dise *recommencer*. Je finis par demander à Michel Marc : « Coudonc ! Pourquoi *recommencer* ? Qu'est-ce c'est qu'il y a eu avant ? » Il répond : « Ah ! rien ! J'ai écrit ça comme ça. » J'ai dit : « Mon tabarnak ! Tu nous as fait perdre quatre heures ! Si tu veux écrire *nous allons commencer*, écris *commencer*, écris pas *recommencer*, parce que c'est tout ce que tu me donnes comme moyen de te comprendre. »

WAJDI MOUAWAD. L'idée de créer un contexte carcéral où les prisonniers allaient jouer cette histoire d'amour est venue de toi ?

ANDRÉ BRASSARD. Non. C'est de Michel Marc. Ça me donnait une occasion d'échapper à l'esthétisme ! Si l'action se déroulait dans une prison, on ne disposait que des moyens dont les prisonniers disposent. Ça nous évitait de faire des costumes dispendieux.

WAJDI MOUAWAD. Sans compter qu'au début des années 1980, il y avait une rage esthétique assez féroce.

ANDRÉ BRASSARD. Oui, exactement. Et je ne voulais pas faire ça. Le travail de la mise en scène s'est fait comme ma grand-mère fait son gâteau : en incorporant au fur et à mesure des éléments. C'était possible de travailler ainsi car on était au Petit à Petit, qui était une « petite compagnie ». Le projet n'aurait pas pu naître dans une institution.

WAJDI MOUAWAD. Comment la mise en scène accompagne-t-elle un texte qui vient d'être écrit ?

ANDRÉ BRASSARD. Avec *Les Feluettes*, on n'a pas fait de mise en place. Première lecture, les textes, debout, allez-y, jouez. J'appelais ça mettre les acteurs dans l'eau bouillante. D'ailleurs, le rapport entre acteur et metteur en scène, c'est, parfois, un rapport comme celui qui implique une poche de thé et l'eau bouillante. Asperger l'acteur avec suffisamment d'information pour qu'il infuse. Le spectacle alors se parfume et se met à goûter quelque chose. Il y a toujours moyen de faire du thé pas pire avec de l'eau pas trop chaude, mais s'il n'y a rien dans la poche, il ne se passera rien. Le rapport de dépendance entre le metteur en scène et l'acteur est bien illustré par ça.

WAJDI MOUAWAD. Est-ce qu'il y avait déjà un goût à cette première lecture ?

ANDRÉ BRASSARD. Oui. Ça marchait. Mais on n'a pas fait de mise en place tout de suite. On parlait.

WAJDI MOUAWAD. La parole revient très souvent chez toi. Les acteurs qui ont travaillé avec toi se souviennent tous de tes idées, tes pensées, tes images. Qu'est-ce que la parole provoque chez toi ?

ANDRÉ BRASSARD. Pour moi, parler c'est comprendre. Je suis un verbomoteur. Je suis pas un écrivain. J'ai pas assez de discipline pour m'asseoir et écrire. Je peux à la rigueur m'asseoir et penser, mais si je parle, c'est mieux. Ça fait que je parle aux acteurs qui sont obligés d'avoir l'air intéressés. En parlant, je me rends compte des idées qui sont bonnes et de celles qui sont pas bonnes. Il y a des questions et je réponds. On se lève. On bouge un peu. On fait de la mise en place, puis, au bout de dix minutes, on se rassoit parce qu'il y a une question qui surgit. J'ai passé des périodes complètes de répétition à lire des répliques et à me demander ce qu'elles signifiaient. Le travail du metteur en scène, autant que de décider de la forme, c'est de nourrir le contenu.

WAJDI MOUAWAD. De quoi parliez-vous durant le travail préparatoire des *Feluettes* ?

ANDRÉ BRASSARD. De nous. C'était bien parce que, consciemment ou inconsciemment, j'avais ramassé une distribution qui était majoritairement homosexuelle. J'avais voulu toutefois que mon assistante, Lou Fortier, soit là pour qu'on n'ait pas l'impression qu'on était une gang de fifs entre nous. Je me suis toujours dit que si ce spectacle ne plaisait pas à tout le monde, on manquait notre coup. En parlant, on a découvert, par exemple, que pour tout le monde, les premiers émois érotiques avaient eu lieu devant le Christ en croix. Le crucifix était au pied de mon lit, et j'aurais donc voulu lui lever sa petite crisse de guenille. J'ai réalisé à quel point la culture catholique n'endurait les corps d'hommes nus que s'ils étaient martyrisés (ce qui ne pouvait que donner le désir d'aller leur donner des becs et de leur mettre de la pommade pour les faire se sentir mieux). Pourquoi le catholicisme ne tolère les corps nus que s'ils sont massacrés ? C'est une forme d'érotisme sadique.

WAJDI MOUAWAD. T'es-tu servi de ce que tu avais compris du rapport judéo-chrétien au corps pour tes mises en scène ?

ANDRÉ BRASSARD. Tu vois, étrangement, je ne m'en suis pas assez servi. Les seuls efforts que j'ai faits du côté du corps ont consisté à travailler sur des plateaux inclinés lorsqu'il me semblait que les corps des comédiens n'arrivaient pas à exprimer quelque chose sur un plancher plat. J'ai travaillé aussi sur l'organe du cœur, si on peut dire ; le rythme intérieur du comédien, lorsqu'il est travaillé, influence la posture et la position du corps.

WAJDI MOUAWAD. Qu'est-ce que tu entends par « rythme » ?

ANDRÉ BRASSARD. Je veux dire que le cœur de l'acteur doit battre à 210. Je travaille souvent au métronome et j'ai souvent fait chier des distributions complètes en mettant le métronome à 210 pendant deux heures et demi, trois heures. Un personnage a une pulsation cardiaque plus grande, plus rapide que celle du reste du monde.

WAJDI MOUAWAD. Voyais-tu la différence ?

ANDRÉ BRASSARD. Je comprends ! J'appelais ça chasser les bulles d'air. Transformer une Aero en Dairy Milk.

WAJDI MOUAWAD. Après Tremblay et Bouchard, tu as fait la rencontre, à travers *Les Reines*, de Normand Chaurette. Qu'est-ce que tu as découvert chez l'un qu'il n'y avait pas chez l'autre ?

ANDRÉ BRASSARD. Lorsque j'ai travaillé avec Michel Marc Bouchard, son écriture n'était pas encore complètement développée. Il cherchait, il apprenait à écrire. Chaurette, au moment des *Reines*, était en pleine maîtrise de son écriture. Je me souviens que, à la lecture du texte, j'avais un gros thrill. J'étais face à un texte qui, contrairement aux *Feluettes*, parlait des femmes, de femmes aux prises avec l'histoire sur laquelle elles essayaient d'avoir un contrôle alors qu'elles n'en avaient aucun. En fait, c'était, là aussi, presque des belles-sœurs.

WAJDI MOUAWAD. As-tu abordé la création de ce spectacle de la même manière que *Les Feluettes,* c'est-à-dire sans mise en place au départ et avec lecture ?

ANDRÉ BRASSARD. Non. J'ai inventé. Je me suis permis une certaine liberté, des anachronismes. Dans les costumes en particulier. J'ai toujours pensé qu'un costume devait rester dans l'époque de l'action. Puis, tranquillement, avec Mérédith Caron, on a eu envie d'aller plus loin. On s'est posé certaines questions. Qu'est-ce qui arriverait si on mettait des lunettes à la Jackie Kennedy à telle reine ? Si on lui donnait un sac à main ? Si on coiffait Élise Guilbault d'un très grand chapeau ? Il y avait de belles images. J'avais d'ailleurs inventé une belle tempête de neige avec quatre boules de miroir cachées. Je me suis bâti un décor en Lego. Je l'ai apporté à Mérédith et on est partis de là.

WAJDI MOUAWAD. Ce que tu décris là est devenu assez rare dans ton travail des dix années passées. Dans tes dernières mises en scène, on sent clairement de ta part un désir de rester très proche du texte, à un tel point que l'on se rapproche de la lecture. Est-ce que c'est quelque chose, chez toi, qui procède d'une volonté de t'éloigner d'un théâtre d'images ?

ANDRÉ BRASSARD. Borges dit que le style devrait être un pont entre l'artiste et le spectateur. Malheureusement, trop souvent, le style devient un mur. Depuis que j'ai lu ça, je me suis terriblement méfié des images. « Une image vomit le mot. »

WAJDI MOUAWAD. Est-ce à partir de là que ton approche a changé ?

ANDRÉ BRASSARD. Oui, à partir de ça et de *La Passion de Juliette* de Michèle Allen qu'Yves Desgagnés avait montée au TNM. Le spectacle, justement, commençait par une très belle image. J'étais assis dans mon fauteuil, penché vers l'avant. Tout à coup, Markita Boies descend des cintres accrochés au rideau. Alors, d'un mouvement, je me recule pour la voir. À la fin du spectacle, je me suis rendu compte que je ne m'étais jamais rapproché. Depuis, je me méfie des belles images.

WAJDI MOUAWAD. Qu'est-ce qu'une image ?

ANDRÉ BRASSARD. C'est quelque chose qui a besoin d'être saisi dans son ensemble. C'est pour ça que c'est terriblement frustrant de voir un ballet ou un spectacle à la télé, parce qu'on découpe les images. Lorsqu'on a travaillé sur *Albertine en cinq temps*, je m'étais dit : « Il faudrait faire ça à la télé. » Mais plus je voyais le spectacle se construire, plus je me disais : « Ça se peut pas. »

WAJDI MOUAWAD. Pourquoi ?

ANDRÉ BRASSARD. Parce que, dans ma compréhension, il me semblait nécessaire que les cinq Albertine soient visibles tout le temps. À la télé, il aurait fallu soit faire un plan large et fixe, soit faire appel aux gadgets des années 1970, c'est-à-dire utiliser les split screens et les mettre chacune dans un coin de l'écran.

WAJDI MOUAWAD. As-tu aimé l'adaptation que Martine Beaulne et André Melançon ont faite pour le petit écran ?

ANDRÉ BRASSARD. J'ai aimé les actrices. Mais ça me frustrait de ne pas voir tout le monde tout le temps. Ce qui est bien, au théâtre, c'est que, justement, le spectateur peut choisir où il regarde. Avec une caméra, tu dois obligatoirement contrôler son regard, choisir pour lui.

WAJDI MOUAWAD. Shakespeare, Tchekhov, Genet, Tremblay, Chaurette, Bouchard, est-ce que l'on peut dire qu'il s'agit là des auteurs qui forment ta famille ?

ANDRÉ BRASSARD. Il manque Racine et Marivaux, et sans doute beaucoup d'autres. Marivaux, je ne l'ai pas beaucoup monté, mais je le trouve tellement intelligent, tellement sensible, tellement lucide devant les tourments de l'âme humaine !

WAJDI MOUAWAD. Comment la proposition de monter Marivaux est-elle arrivée ?

ANDRÉ BRASSARD. C'est Jean Herbier, qui, tout à coup, *out of the blue*, me téléphone et me dit : « Veux-tu monter *La Fausse Suivante* de Marivaux ? » Je lis ça. Je tombe sur une pièce tellement étonnante, tellement magnifique, une affaire de sentiments, de niaisage et de capitalisme. En créant le spectacle, j'ai réalisé que 300 livres, ça ne disait rien à personne. J'ai fait faire une recherche par mon assistant pour trouver l'équivalent aujourd'hui. Lorsque le personnage parlait d'argent, une diapositive s'allumait indiquant : « 300 livres = 15 000 dollars ». Ça faisait prendre conscience à quel point ces personnages ne jouaient pas pour des pinottes.

WAJDI MOUAWAD. Lorsque tu parles de sa lucidité sur les tourments qui nous habitent, à quoi penses-tu précisément ?

ANDRÉ BRASSARD. À l'orgueil. « Je ne le dirai pas ; c'est lui qui va me le dire en premier. » Je ne sais pas ce que c'est que cette peur de faire les premiers pas. Ou : « Si je dis que je l'aime, je vais être attaché. » C'est fucké, c'est pas correct, mais on ne peut pas s'empêcher de penser que, si on dit à quelqu'un « je t'aime », ça lui donne des droits. Des droits ! Quelqu'un qui a besoin de sentir sa liberté, même s'il éprouve de grands sentiments envers quelqu'un, va les minimiser pour que l'autre n'ait pas de droits sur lui. Les êtres humains sont fuckés là-dessus. Ils vont jouer avec leurs besoins, les négocier, les arranger pour éviter de remettre leur liberté entre les mains d'un autre. Ça ressemble étrangement à ce qui se passe dans *Des restes humains non identifiés* de Brad Fraser, d'une tout autre époque.

WAJDI MOUAWAD. Parles-tu de tout le monde en général ou parles-tu de toi en ce moment ?

ANDRÉ BRASSARD. Un peu des deux, forcément. J'ai un rapport un peu fucké avec l'amour. Il y a eu une époque où je voulais prouver à un homme qu'il ne m'aimait pas, alors je lui posais des lapins. J'ai tout fait pour que ça ne marche pas. Au bout de deux mois, le gars se lassait.

Alors je me suis dit : « Je le savais qu'il m'aimait pas. » Plus tard, j'ai agi selon un autre principe. Imagine que tu n'as pas fait ton lavage pendant cinq ans. Quelqu'un de gentil, qui est prêt à t'aider, arrive. Tu lui indiques la poche de linge sale et tu dis : « Regarde ! » puis tu lui câlisses la poche de linge sale dans les mains. C'est fucké. Même dans les hommages où l'on reçoit des grosses pelletées d'amour comme au Gala des Masques, il n'en demeure pas moins qu'on rentre à la maison tout seul. Les gens montrent leur amour en public et ne sont pas foutus de téléphoner.

WAJDI MOUAWAD. Est-ce que c'est cette soif insatiable d'amour qui a donné autant d'importance à la cocaïne dans ta vie ?

ANDRÉ BRASSARD. Sûrement.

WAJDI MOUAWAD. Est-ce que c'est quelque chose qui a été en conflit avec la mise en scène ? Est-elle devenue si obsessive qu'elle a pris le pas sur le travail et l'exigence ? T'a-t-elle, la cocaïne, « déporté » loin de la mise en scène et du théâtre ?

ANDRÉ BRASSARD. Non. Je n'ai pas été un cocaïnomane social. Ma relation avec la coke est comparable à celle que tu peux avoir avec un ami qui prend trop de place dans ta vie. Au début, intellectuellement, je trouvais ça fantastique. Quand j'ai été nommé à Ottawa, j'ai préparé toute ma première saison en commençant la journée avec une ligne de coke, trois joints de hasch et un poignet. C'était ma « méthode ». Mais plus profondément encore, la coke était là pour me permettre de vivre, de m'endurer moi-même, de ne pas me trouver trop plate. Elle était là, surtout, pour me stimuler sexuellement. Des fois, les gens que l'on rencontre ne sont pas toujours des amants passionnants. La coke donne beaucoup de qualités au monde, comme elle donne beaucoup de qualités à la télévision lorsque tu as une soirée à passer à la maison. Puis, un jour, la coke a commencé à me peser, à coûter cher. Et j'ai eu de plus en plus conscience qu'elle ne parvenait pas à remplir le trou.

WAJDI MOUAWAD. Qu'est-ce qu'il faut faire pour colmater ?

ANDRÉ BRASSARD. Je ne sais pas si on peut faire quelque chose. Quand j'étais en désintox, j'ai rencontré une fille qui était belle, ça n'avait pas d'allure. Mais elle avait un grand trou dans le cœur ; elle cherchait de l'amour pour boucher ce trou, mais tout passait tout droit. C'est comme un panier pas de fond : les choses rentrent et passent. Ils ne se rempliront jamais, ces trous-là.

L'enregistreuse s'arrête. Wajdi et Sophie se lèvent. Rangent leurs affaires. Saluent André et sortent. André reste seul.

7

LES MÉDIUMS ET LES PYGMÉES

Même lieu.

WAJDI MOUAWAD. Crois-tu au personnage ?

ANDRÉ BRASSARD. Oui.

WAJDI MOUAWAD. Un personnage existe-t-il, dans l'absolu, en dehors de l'acteur ?

ANDRÉ BRASSARD. Oui, absolument.

WAJDI MOUAWAD. Ainsi on peut construire un personnage ?

ANDRÉ BRASSARD. Non. Le personnage n'est pas une construction. C'est un enfant, un être vivant d'une race à part, comme les Pygmées. J'avais pensé faire un traité d'anthropologie sur le personnage de théâtre. Parler de lui. Raconter qu'il ne vit que sur scène et qu'à la condition d'être incarné.

WAJDI MOUAWAD. Le corps que tu as devant toi, est-ce le corps de l'acteur ou celui du personnage ?

ANDRÉ BRASSARD. C'est le corps de l'acteur nourri par la vie du personnage. C'est indissociable.

WAJDI MOUAWAD. Personnellement, je ne crois pas au personnage. Je crois à l'être humain, l'acteur, qui est devant moi et qui va dire ces mots-là. Et quand je demande à l'acteur de bouger, c'est l'acteur qui se déplace. Les spectateurs peuvent parler de personnages, mais en ce qui me concerne, je ne vois que l'acteur qui vit une expérience, à travers le texte qu'il incarne. Ça m'intéresse lorsque tu me dis, par exemple, que pour toi le personnage rencontre l'acteur. Cette rencontre m'intéresse dans la mesure où je ne la comprends pas ; c'est une rencontre qui m'est mystérieuse.

ANDRÉ BRASSARD. Il y a un côté médiumnique entre les deux, effectivement. Pour les gens qui croient au spiritisme, le médium est une personne qui se met à la disposition des âmes errantes en leur donnant la parole. Les acteurs le font avec plus de contrôle que chez les médiums parce qu'ils ne doivent pas faire abstraction de qui ils sont.

WAJDI MOUAWAD. Alors comment fais-tu une mise en place ? Comment l'acteur peut, à la fois, gérer une mise en place indiquée par le metteur en scène et, à la fois, être le médium ?

ANDRÉ BRASSARD. C'est un deal. Je fais généralement la mise en place le plus tard possible. Je préfère passer un mois à la table et deux semaines debout. Ça insécurise certains acteurs et je peux comprendre ça. Parce que, heureusement, les acteurs ne « fonctionnent » pas tous de la même façon.

WAJDI MOUAWAD. Est-ce que tu communiques aux acteurs ce que tu veux dire à travers une pièce que tu es en train de monter ? Est-il important qu'ils sachent ce que tu veux dire ?

ANDRÉ BRASSARD. Je ne sais pas ce que je veux dire. Les seuls « artistes » qui savent ce qu'ils veulent dire, et qui y parviennent, sont les gens qui écrivent des commerciaux pour la télévision. Eux, oui, ils savent. Ils veulent dire que cette auto-là est la meilleure. Généralement ils réussissent. En trente secondes. Au théâtre (et en art), c'est autre chose. On tourne autour de ce dont on veut parler, de la zone de l'esprit humain que l'on veut aller chercher. On peut essayer de comprendre sans nécessairement réussir. Quant aux acteurs, oui, je tente de leur communiquer mes points de vue, de leur faire ressentir et comprendre pourquoi je tiens à monter cette pièce.

WAJDI MOUAWAD. Tu as une position très forte sur ta manière d'aborder le rôle de l'acteur au sein de l'art théâtral. Retrouves-tu parfois cette position chez d'autres metteurs en scène ? En d'autres termes, as-tu le sentiment d'avoir laissé une marque ? Est-ce que la notion d'héritage ou de filiation en mise en scène peut avoir un sens ?

ANDRÉ BRASSARD. Au printemps, les arbres laissent partir leurs graines. Beaucoup d'entre elles tombent dans le ciment et très peu dans des terres propices. Si, en lisant Peter Brook et Jan Kott, j'ai compris ce que j'ai compris ; si en voyant, ici ou ailleurs, un spectacle qui m'est rentré dans le cœur, j'ai eu envie d'aller plus loin dans mon propre travail, alors je crois qu'une transmission a eu lieu. Au début, on sait qu'on a été influencé, mais on ne sait pas qu'on influence à notre tour. En ce sens, les témoignages des gens qui m'ont dit que tel de mes spectacles a été important pour eux me restent gravés dans le cœur. Ça prend du sens, à mes yeux, lorsque Robert Lepage dit que c'est ma mise en scène de *La Nuit des rois* à Québec qui a déclenché son rapport avec le théâtre. Une autre façon de transmettre a été, aussi, l'enseignement... Non ! Je ne veux pas dire l'enseignement parce que j'aime pas ça... l'*enflammement* !

WAJDI MOUAWAD. Est-ce que tu te reconnais dans le travail de ceux qui sont venus après toi ?

ANDRÉ BRASSARD. En allant voir *Cabaret Neiges Noires*, dont j'avais entendu parler et qui m'avait semblé un peu rébarbatif parce que j'avais l'impression que je me ferais traiter de vieil imbécile, je me suis reconnu.

WAJDI MOUAWAD. À travers quoi ?

ANDRÉ BRASSARD. Je ne sais pas. Je ne peux pas dire à travers quoi. C'est comme ça. Je peux citer aussi *L'Annonce faite à Marie* qu'Alice Ronfard avait mise en scène. Ça m'avait tellement touché parce que j'avais eu l'impression que si je n'avais pas été là, le spectacle aurait été différent. J'ai reconnu un héritage. Peut-être pas dans la technique de mise en place, mais dans une approche générale.

WAJDI MOUAWAD. Dans la relation au texte peut-être ?

ANDRÉ BRASSARD. Oui. Mais je ne peux pas te dire exactement, j'ai beaucoup de pudeur à ce sujet. J'avais été touché par l'effort d'intelligence du texte. Je n'ai pas eu souvent l'impression que les metteurs en scène lisaient les pièces, qu'ils s'étaient posé des questions sur leur relation au texte. Est-ce que ma mise en scène procède de ce que je comprends tranquillement du texte, ou est-elle née de ma première idée, de ma première lecture ? Est-ce que je travaille à partir d'un flash qui m'est venu lors de cette première lecture et est-ce que je me rattache à ce flash-là ? Se questionner, travailler. J'ai souvent eu le sentiment que le metteur en scène s'était entêté à rentrer son spectacle avec un chausse-pied dans un concept qu'il avait inventé, même si tout ça n'avait plus de sens.

WAJDI MOUAWAD. Lorsque tu assistes à un de ces spectacles, à quoi vois-tu ce manque de lecture ?

ANDRÉ BRASSARD. Je l'entends au manque de résonance. Je l'entends surtout à l'absence de silences. C'est une chose qui m'a beaucoup frappé quand j'ai découvert le silence. Parfois, j'ai demandé aux acteurs de répéter ce qu'ils venaient de dire dans leur tête. Pour que ça résonne. Il y a aussi les silences où tout peut arriver, où un personnage, avant de répondre, a une impulsion. Au dernier instant, il inspire pour lancer sa réponse et, dans le bref moment d'apnée, il pèse sur la clutch, change de vitesse, et répond ce qui est écrit. Mais souvent, sous prétexte de rythme, on gomme ces hésitations-là. On ferme les portes sur ce qui aurait pu arriver.

WAJDI MOUAWAD. Ce que tu décris n'aurait-il pas le désavantage de placer obligatoirement le metteur en scène dans un rapport uniquement psychologique face au personnage ?

ANDRÉ BRASSARD. Moi, la psychologie, je n'ai jamais trop su ce que c'était. J'essaie juste de comprendre l'état d'âme du personnage. Le travail intellectuel ignore trop l'importance de l'humeur. L'humeur est liée à l'image que l'on donne de nous-mêmes. Peter Brook dit que la première image donnée par le personnage au spectateur est si importante qu'elle définit par l'impression qu'elle laisse le rapport de sympathie ou d'antipathie. J'ai voulu travailler avec ça des fois. Partir d'une première image, puis, éventuellement la transformer, la confirmer, mais surtout la nuancer. Claude et Alex, dans *Impératif présent*, s'haïssent. Malgré tout, je n'ai pas commencé le spectacle par une image de haine. Au contraire. On les voit s'occuper l'un de l'autre dans un rapport de tendresse. Nous devons apprendre à ne pas nous fier à la première impression. C'est la base du racisme, car dans l'insécurité que l'on éprouve devant l'inconnu, on a tendance à chercher une définition, même simpliste, dans nos systèmes de référence, dans nos petits carrés dans nos têtes, pour nous rassurer. C'est souvent très difficile d'oublier le concept du carré pour que le personnage prenne sa place. Il faut faire cet effort, sinon ça ne sert à rien. Si on n'est pas capable d'admettre qu'Hitler aimait son chien et qu'il devait faire sauter ses neveux et ses nièces sur ses genoux, on se trompe. On se fait avoir par les apparences. Dès qu'on se retrouvera devant un ennemi qui ne correspondra pas au stéréotype de l'ennemi, on aura tendance à dire : « C'est du bon monde. » Brecht a bien montré ce phénomène à travers le personnage de Pierre-Pont Mauler dans *Sainte Jeanne des abattoirs.*

WAJDI MOUAWAD. C'est la responsabilité du metteur en scène d'éviter justement ces pièges-là. De quoi a besoin un acteur pour être en mesure de les éviter alors qu'il travaille son personnage ?

ANDRÉ BRASSARD. De tout. De nourriture, de références, de curiosité, d'empathie pour l'espèce humaine, d'impudeur et, bien sûr, d'une certaine organisation. Mais l'organisation étant la chose la moins importante.

WAJDI MOUAWAD. Cette nourriture dont tu parles, est-elle de nature plus théorique, la mise en contexte de la pièce dans son aspect historique, par exemple, ou de nature plus émotive, plus psychologique ?

ANDRÉ BRASSARD. Ça dépend des pièces. *Richard III* de Shakespeare exige une connaissance de la guerre des Deux-Roses, mais on ne peut jamais oublier qu'on la joue aujourd'hui. Il faut trouver des choses qui résonnent dans l'histoire d'aujourd'hui.

WAJDI MOUAWAD. Comment se passe ton travail avec les acteurs ?

ANDRÉ BRASSARD. Ça commence parfois à une table, assis en rond, autour du texte. Je parle beaucoup au début pour dire ce que j'entends. Il faut tout dire. Être le premier à baisser ses culottes et dire : « Voilà pourquoi ça me touche. » Relire plusieurs fois pour faire tomber nos défenses. La première lecture, c'est un des moments qui me stressent le plus, l'autre étant la mise en place, qui me fait autant peur que la première pour un acteur. J'ai peur, quand on commence à préciser des choses, que des portes se ferment. Pour moi, dans la mise en place, ce qui compte, ce n'est pas tellement les déplacements dans l'espace que le rapport physique entre les personnages : qui est de face, de dos, ou de profil, qui tourne autour de qui, quand et comment l'un bouge quand l'autre parle. Toutes ces décisions sont liées à l'intelligence du texte et dessinent la scène. Si on est en panne, on revient au texte en espérant découvrir ce qu'on n'a pas découvert.

WAJDI MOUAWAD. Et comment se passe la dernière semaine ?

ANDRÉ BRASSARD. Il faut incorporer le décor, les costumes, les cues de son et d'éclairage dans le mélange à gâteau. Les acteurs doivent tout intégrer rapidement. Ça crée de l'inconfort et du stress. Par exemple, pour des raisons syndicales et pour des raisons pratiques, les acteurs ne portent leurs costumes que dans les moments où ils jouent, ce que je déplore. Et on devrait avoir deux semaines sur le plateau alors qu'on a que trois jours. À la fin de la dernière générale, j'accomplis un rituel : je fais gestuellement sortir le spectacle de mon ventre, je le tends aux acteurs et je coupe le cordon. Le spectacle leur appartient.

WAJDI MOUWAD. Et cette naissance a été possible suite à une lecture autour de la table.

ANDRÉ BRASSARD. Oui, et c'est pour cela que je crois profondément qu'on a le devoir d'aller plus loin que la première image. Il faut être en mesure de « lire », parce que c'est dans le texte, c'est là, c'est dans les mots, c'est dans les silences. C'est surtout dans les silences. Il s'agit de débusquer « l'action » qui sous-tend ces paroles.

WAJDI MOUAWAD. Comment parler du silence à un acteur lorsque son rôle, souvent, est lié à la parole incarnée ?

ANDRÉ BRASSARD. Il faut se rappeler que le pire ennemi de l'acteur, c'est le typographe, celui qui donne la même importance à tous les mots. Il faut briser la régularité de la typographie pour chercher la vie, la respiration d'un texte. Quand les acteurs disent un texte, c'est, maximum, une « coproduction », parce qu'ils disent les mots de quelqu'un d'autre. Mais quand ils se ferment la gueule, ils s'expriment complètement. Je leur dis souvent ça en blague, mais ce n'est pas si innocent que ça en a l'air. Dans le silence, ils peuvent prêter tous leurs rêves, tous leurs souhaits, toute la richesse qu'ils ont comme être humain au personnage, mais quand il est temps de prendre la parole, ils doivent se résigner à dire ce qui est écrit.

WAJDI MOUAWAD. Il me semble que tu évoques, dans cette manière de penser le silence au théâtre, une notion un peu étrange dont on parle souvent sans trop savoir de quoi il est question : la présence. Lorsque l'on dit que tel acteur a une « présence » sur scène, c'est dire qu'il a une manière de captiver même dans ses silences. J'ai souvent entendu dire que la « présence » ne se travaille pas, qu'elle est innée, que tu l'as ou que tu ne l'as pas. Crois-tu à cette notion de présence « magique » ou crois-tu qu'il existe autre chose, de plus important, lié au travail de l'acteur ?

ANDRÉ BRASSARD. Je crois à la préparation constante de l'acteur, au talent, bien sûr, à la concentration, mais surtout au fait qu'il soit dans le moment présent, qu'il vive chaque instant dans l'intensité. Je crois aussi à l'observation, à la curiosité.

WAJDI MOUAWAD. En dehors et à l'intérieur du spectacle.

ANDRÉ BRASSARD. Tout le temps ! Tu ne peux pas, quand tu es un acteur, te promener dans la rue de la même manière qu'un touriste. Il serait souhaitable que l'acteur ait envie de considérer tout être humain qu'il rencontre comme un personnage potentiel à jouer. Cela nourrirait l'imaginaire de l'acteur. À partir d'un petit détail, d'un geste de la main ou d'un tic, imaginer l'origine et parvenir à quelque chose de grand.

WAJDI MOUAWAD. C'est un entraînement, une attitude à acquérir.

ANDRÉ BRASSARD. Oui. Qui passe par le principe de l'essai-erreur. Beaucoup d'acteurs finissent par se décourager parce qu'ils ne trouvent pas du premier coup. C'est important de tenir bon. D'y revenir. J'ai toujours trouvé que les acteurs, en répétition, ne se donnent pas assez le droit de recommencer.

WAJDI MOUAWAD. D'où ta tentation, souvent, de faire une répétition « spéciale » ?

ANDRÉ BRASSARD. Oui. Généralement vers la fin. Lorsque je les sens figés dans un ton, lorsque je sens qu'ils ne cherchent plus, j'essaie de trouver un exercice étrange lié au spectacle. C'est un exercice qui me permet de percevoir ce que les comédiens ne comprennent pas. Ça paraît tout de suite. Par exemple, jouer le spectacle les yeux bandés, à se toucher et non pas à se regarder dans les yeux. Pour une des productions des *Belles-Sœurs*, j'avais remplacé, le temps d'une générale, les timbres par des ballounes. Au lieu de coller les timbres, les comédiennes devaient souffler les ballounes. C'était bien.

WAJDI MOUAWAD. Est-ce qu'en répétition tu te sens seul face aux acteurs ?

ANDRÉ BRASSARD. Parfois. J'aimerais que les acteurs me parlent plus, me disent comment ils se sentent. Souvent c'est moi qui vais aller voir un acteur pour lui dire : « T'es pas bien dans ce mouvement-là, hein ? T'aimes pas ça faire ça, hein ? Qu'est-ce que tu ferais ? » Et on rajuste, parce qu'il y a rien de définitif.

WAJDI MOUAWAD. Qu'est-ce que tu fais lorsque tu dois choisir entre le bien-être de l'acteur et la qualité du spectacle ?

ANDRÉ BRASSARD. Il y a toujours un moyen, en se parlant, de trouver un compromis. Mais la plupart du temps, ça cache une affaire d'ego. C'est toujours une petite ombre qui flotte. Je répète aux acteurs de ne pas s'énerver, de ne pas s'inquiéter. Je leur dis : « C'est pas pour vous que vous travaillez. Si vous voulez travailler pour votre ego, pour la satisfaction de votre ego, faites un spectacle dans votre salon et payez vos spectateurs. Maintenant, c'est les spectateurs qui payent pour venir vous voir et ils ont le droit d'avoir la marchandise qu'on leur a annoncée, c'est-à-dire la pièce de M. Untel ou de Mme Unetelle. Votre rôle ne consiste pas à nous prouver que vous êtes bons, mais à nous faire entendre le texte. »

WAJDI MOUAWAD. Qu'est-ce que ça signifie, « faire entendre le texte » ?

ANDRÉ BRASSARD. Je reprends la phrase de Louis Jouvet : « Articule et regarde le lustre. » Au-delà, on ne peut rien demander de plus aux acteurs. Le frémissement, c'est un bonus, mais ça n'arrive pas tous les soirs.

C'est une réalité que l'on accepte quand on est metteur en scène et qu'on assume lorsqu'on est acteur. Même si c'est dur. J'ai vu beaucoup de comédiens qui se sont détruits pour ne pas avoir frémi.

WAJDI MOUAWAD. En ce sens, est-ce que l'auteur prime l'acteur ? Y a-t-il une hiérarchie, à tes yeux, entre l'acteur et l'auteur ?

ANDRÉ BRASSARD. Je dirais que, à la rigueur, on n'a pas besoin de textes, mais un texte, ça peut être différentes choses. Il existe des spectacles chorégraphiques qui sont construits sur des textes non écrits. C'est une écriture qui ne passe pas par les mots. Je dirais alors, pour répondre à ta question, qu'au théâtre, le plus important, c'est la représentation.

WAJDI MOUAWAD. Pourrais-tu croire à une représentation sans acteurs ?

ANDRÉ BRASSARD. Jean-Pierre Ronfard a essayé de faire ça, mais ça ne m'a pas tenté d'aller voir. Non. Pour moi, les deux intervenants essentiels demeurent l'acteur et le spectateur. C'est Gildas Bourget, un homme de théâtre français (pas parisien), qui m'a fait comprendre ça. Il a dit, dans une conférence que j'ai entendue à Avignon en 1985, que le problème avec le théâtre en France, aujourd'hui, était que la relation privilégiée existait entre le metteur en scène et le critique plutôt qu'entre les acteurs et le public.

WAJDI MOUAWAD. Crois-tu qu'il existe des acteurs qui ne peuvent pas jouer certains auteurs ? Prenons Shakespeare, qui demeure un continent à part. Est-ce que Shakespeare exige quelque chose de particulier du comédien qu'un autre auteur n'exige pas ?

ANDRÉ BRASSARD. Shakespeare représente un problème particulier, parce que sa vision du monde est tellement vaste. C'est, comme disait Genet, un des seuls à avoir écrit, en même temps, l'âme et la merde, un des seuls qui soient parvenus à faire côtoyer tous les aspects de l'être humain. Il a peint une fresque complète de l'âme humaine avec ses préoccupations les plus nobles et les plus triviales. Comme acteur, il exige que tu sois sensible à tous les niveaux. Manger, chier, mourir, prier, tuer : tout est important. Je ne me suis presque jamais attaqué à Shakespeare. J'ai eu très peur de ne pas en être digne. Shakespeare, comme Claudel, Genet et tous les auteurs qui demandent de la grandeur et de la puissance, exige, à cause des distributions énormes, des plateaux très grands dans des théâtres de 800 places. Ça pose donc à l'acteur des questions d'ordre plus technique liées, par exemple, à la voix, au coffre, à la projection.

WAJDI MOUAWAD. Comment être intime au TNM ? Comment dire que tu vas tuer le roi sans le vociférer ?

ANDRÉ BRASSARD. Tu n'es pas obligé de le hurler, tu peux aussi le murmurer. C'est une question de technique. Sur le plan de la technique, les acteurs britanniques sont exemplaires.

WAJDI MOUAWAD. Comment faire alors lorsque les acteurs ne reçoivent plus une formation adéquate pour pouvoir murmurer dans une salle énorme ? Il me semble que ce problème a participé, de manière généralement outrancière, à l'intrusion des micros pour faire un son « cinéma » au théâtre.

ANDRÉ BRASSARD. Comme, dans la réalité, les acteurs sont plus souvent appelés à jouer à la télé, au cinéma ou dans de petites salles, on insiste moins sur cet aspect. C'est le bébé qu'on a jeté avec l'eau du bain. C'est le « Grand Théâtre », le vieux théâtre dont j'ai participé à la noyade. C'est vrai. Les vieux acteurs avaient le panache, le plaisir de « cabotiner » et le coffre. Je ne parle pas seulement de coffre physique ; je parle d'intelligence, de sens de la résonance, de conscience philosophique de ce que tu dis lorsque tu joues. Aujourd'hui, la télévision a réduit le jeu des comédiens comme elle a réduit l'écriture des auteurs. On ne peut pas blâmer les comédiens pour ça. Leur condition de vie n'est pas simple et la télévision leur permet de vivre beaucoup plus que le théâtre. Avant, la télé était très coopérative. Tu pouvais appeler un assistant de télévision et lui dire : « Écoute, j'aurais absolument besoin d'un tel, tel soir. Est-ce que ça se peut ? » et lui te répondait : « O.K., mais il faudrait que tu me le laisses mardi. » On pouvait négocier. Maintenant, ils engagent un acteur pour une série et lui demandent d'être libre du 1er avril au 14 octobre pour 12 journées de tournage en tout. Pas de négociation. C'est à prendre ou à laisser. J'ai envie de dire aux producteurs : « Rappelez-vous que c'est au théâtre que vous venez les chercher et que c'est parce qu'ils ont fait du théâtre que vous les trouvez bons. Ayez un petit peu de respect pour le théâtre. »

WAJDI MOUAWAD. Est-ce que le texte peut devenir l'ennemi de l'acteur ?

ANDRÉ BRASSARD. Pas le texte : la conscience du texte. C'est un piège qui guette tous les acteurs : la conscience du texte qui impose une dynamique. Par exemple, un défaut de mise en scène, c'est de sentir que les acteurs qui jouent Roméo et Juliette savent que leur personnage va mourir. On le sait, nous autres aussi, que l'on va mourir, mais souvent on fait comme si on ne le savait pas, ou on fait comme si on pouvait éviter ce sort-là. Je pense que la représentation idéale serait une représentation où les acteurs qui incarneraient Roméo et Juliette joueraient comme s'ils étaient convaincus qu'en s'aimant suffisamment, qu'en étant vraiment bons ce soir-là, la pièce se terminerait autrement. On assisterait alors à leur tragique déception de voir que, malheureusement, elle ne se termine pas autrement. C'est notre sort à tous, le sort de l'être humain, de toute façon.

WAJDI MOUAWAD. Comment parles-tu aux acteurs des indications sur le jeu en général ?

ANDRÉ BRASSARD. J'utilise ce que j'appelle des métaphores culinaires. Je t'ai déjà parlé de la comparaison entre un acteur et la poche de thé, de l'eau chaude de la mise en scène qui fait infuser la saveur des acteurs. Aux acteurs, je parle aussi du chaudron de patates. Dire un texte, c'est rechercher le frémissement du couvercle du chaudron de patates en train de cuire sur le poêle, un frémissement qui n'est possible que par la pression de la force de la vapeur qui veut s'échapper et le poids du couvercle qui veut l'en empêcher.

WAJDI MOUAWAD. Quoi d'autre ?

ANDRÉ BRASSARD. Il y a le concept du club sandwich que j'ai utilisé régulièrement. J'avais dit un jour à un comédien de jouer avec plus de colère. Il m'a répondu : « Oui, mais hier tu m'as dit que je l'aimais, cette fille-là ! » J'ai dit : « Oui, mais il n'y a pas juste du poulet dans un club sandwich ! » Je me considère d'ailleurs comme un « taste-texte », un goûteur d'émotions. J'écoute l'acteur, je goûte et je dis : « Il manque une pointe de ressentiment. »

WAJDI MOUAWAD. Quel lien établis-tu entre la cuisine et l'acte de jouer ?

ANDRÉ BRASSARD. C'est simplement que ma connaissance de la cuisine est assez restreinte pour me permettre de l'utiliser comme je veux, dans un sens poétique, sans me faire un trop grand souci de l'exactitude de ce que j'avance. C'est pour le plaisir de l'image. La seule chose importante, c'est que l'image soit juste et qu'elle parle à l'acteur. Il y a aussi le principe de la bouteille de ketchup. Imagine quelqu'un qui veut mettre du ketchup sur ses frites. Il prend la bouteille, il essaie de l'ouvrir, mais le bouchon est trop collé. C'est jammé là. Certains, après avoir forcé un coup ou deux, vont poser la bouteille devant eux et dire, sur un ton plaintif : « Je suis pas capable d'ouvrir la bouteille. » Il y en a d'autres qui ne vont pas poser la bouteille, au contraire, qui vont s'acharner et s'enrager en disant : « Je suis pas capable, crisse de câlice de bouteille à marde. » Les gens de la deuxième catégorie sont préférables. Genet pensait que si tu n'es pas enragé, tu n'as pas d'affaire à faire de l'art. L'option cynique, d'après moi, est vouée à l'échec. Je parle aux acteurs de cette rage, de cette volonté, cette obstination à y arriver.

WAJDI MOUAWAD. Qu'est-ce que l'émotion ? D'où vient « la terreur de l'émotion » chez les acteurs, cette nécessité absolue qu'ils pressentent de devoir être émus sur la scène ? Et pourquoi la capacité à « pleurer », à verser de vraies larmes devient plus spectaculaire que tout le reste ?

ANDRÉ BRASSARD. Ce qui compte, c'est l'émotion du spectateur, pas celle de l'acteur en scène. Diderot en parle dans *Le Paradoxe du comédien*. L'émotion peut faire partie du travail de recherche, mais je pense que c'est comme le vent, quelque chose qui peut se lever un moment donné. Si tu comptes sur l'émotion pour faire marcher ton bateau, tu risques de rester en cale sèche pendant longtemps. L'émotion, j'aime bien quand on la comprime, quand on lutte contre elle, pas qu'on s'en drape, qu'on l'étale ou qu'on s'en gargarise. C'est le principe du chaudron de patates dont je viens de te parler. Il faut que l'émotion soit toujours là pour forcer l'acteur à la contrôler. J'ai toujours pensé que la seule règle morale était le mouvement. Si ton émotion t'enfarge, elle n'est pas bonne ; si elle te donne une poussée et t'incite à la dépasser, c'est correct.

WAJDI MOUAWAD. Je voudrais revenir un instant sur cette manière que tu as d'aborder le silence. Est-ce que le silence est de nature immuable, indépendante des pièces, ou bien est-il écrit aussi, diffère-t-il dans sa « silencieuseté » chez Racine ? Est-il plus américain chez Tennessee Williams ? Plus russe chez Tchekhov ou plus québécois chez Tremblay ?

ANDRÉ BRASSARD. Le silence de l'être humain est toujours le même. On est tous pareils en dedans, je crois. Il est sûrement plus facile à trouver chez Tchekhov. Les personnages de Racine sont suspects, parce qu'ils parlent trop. C'est leur seule façon de se comprendre. Démunis de psychologie, ils sont habités de démons, de désirs. Je peux pas oublier les écrits de Roland Barthes sur Racine qui m'ont beaucoup influencé dans ma compréhension des conflits qui existent entre la durée et le moment : est-ce que l'amour de Néron pour Junie va remettre en question la structure que sa mère a voulu imposer à l'empire ? Mais on ne fait pas une mise en scène en fonction de quelque chose que notre cerveau a raisonné. J'ai l'impression que c'est le ventre qui initie. Après, on demande au bureau-chef de trouver des raisons. Quand on demande à quelqu'un : « Pourquoi t'aimes cette personne-là ? », la personne va trouver des raisons, mais que sont, vraiment, les raisons ? Ça me fait penser aux petites annonces dans les journaux : « Je cherche une femme de 5'4", blonde, aimant… » Moi, pendant longtemps j'ai pensé que je cherchais un genre de gars. Finalement j'en ai rencontré un qui ne ressemblait pas du tout à ce que je cherchais et je suis tombé en amour. C'est quoi les raisons que je peux donner ?

WAJDI MOUAWAD. Est-ce que l'on peut dire que cette position sur les choses est au cœur de la manière avec laquelle tu abordes les textes de théâtre ?

ANDRÉ BRASSARD. Oui, c'est possible. J'ai voulu montrer qu'on est responsables. Le mal que l'homme fait à l'homme n'est pas automatique, n'est pas naturel. Brecht fait clairement la différence entre le mal que la nature nous fait (le froid, les inondations, les orages), un mal contre lequel on ne peut rien, et le mal que l'homme fait à l'homme, contre lequel on peut faire quelque chose. Tout ce que l'homme fait, il pourrait le faire autrement. Il y a des raisons pour lesquelles on fait le choix d'agir d'une façon plutôt que d'une autre. Brecht disait que ce qu'il souhaitait voir, c'était non seulement les choix que faisait le personnage, mais tous ceux qu'il a décidé de ne pas faire. J'ai toujours aimé voir des acteurs conscients des options qui s'offraient à leur personnage. Je leur disais : « Ça peut être ça ou ça peut être ça. Choisissez. » Malheureusement, les acteurs sont si inquiets qu'à partir du moment où ils ont l'impression d'avoir trouvé une réponse, une raison, souvent, ils s'en contentent. J'aurais souhaité plus souvent voir des acteurs changer de motivation, ou changer de silence en cours de représentation, mais c'est peut-être utopique.

WAJDI MOUAWAD. Comment procèdes-tu pour établir ta distribution ?

ANDRÉ BRASSARD. C'est un secret. Comme l'amour. Chose certaine, il ne faut jamais dire à l'acteur pourquoi on l'a choisi. C'est fatal. Je choisis plus les acteurs pour ce que je pressens chez eux que pour ce qu'ils ont déjà donné. Mais ça m'est arrivé d'engager quelqu'un que j'ai vu dans un escalier roulant chez Eaton. De rencontrer une jeune actrice dans la rue qui me demande : « As-tu du travail pour moi ? » « Ben oui, au fait, regarde donc ça ! Appelle-moi ! »

WAJDI MOUAWAD. Quelle qualité recherches-tu, essentiellement, chez un acteur ?

ANDRÉ BRASSARD. Je t'ai déjà répondu quand tu m'as parlé de la présence, mais je rajouterais ceci : la faculté de s'abandonner. La capacité d'arrêter de vouloir contrôler. Dans *Damnée Manon, sacrée Sandra*, je suis convaincu d'avoir vu Rita Lafontaine léviter. À une époque, Rita se foutait de ce dont elle avait l'air, de ce que les gens pensaient. Elle était, plongée dans le spirituel, plus sensible aux ondes qui viennent d'ailleurs, de l'au-delà. C'est grâce à elle, d'ailleurs, que j'ai compris le caractère médiumnique des acteurs.

WAJDI MOUAWAD. Tu as souvent travaillé aussi avec Guy Nadon. Tu parles de lui avec beaucoup d'admiration et d'affection. Sans entrer dans un bête jeu de comparaison, comment perçois-tu la nature de chacun de ces deux grands comédiens que sont Rita Lafontaine et Guy Nadon ?

ANDRÉ BRASSARD. Je dirais que Guy a l'abandon plus long à venir que Rita, qu'il se pose et qu'il me pose plus de questions. Il y a plus de discussion. Rita ne discute pas : elle cogite puis, un jour, elle arrive avec une proposition.

WAJDI MOUAWAD. Si, avec Rita, tu es devant un médium qui parle avec l'esprit du personnage, dans le cas de Guy, tu es devant qui ?

ANDRÉ BRASSARD. Un interlocuteur. Mais dans les deux cas, je me retrouve face à des acteurs qui incarnent des personnages par des chemins différents, et c'est ça qui est incroyable. C'est un problème, d'ailleurs, quand on dirige une école, puisqu'il n'y a pas de chemin unique.

On ne peut pas être doctrinaire là-dessus. Ce qui est fascinant et qui ne cesse de me remplir d'émerveillement, c'est la multiplicité des natures et des façons de travailler des acteurs. C'est une richesse à laquelle il faut s'adapter. Monique Mercure, par exemple, se déguise. Au cours des répétitions, elle arrive de moins en moins bien habillée ou de mieux en mieux, selon le rôle qu'elle joue. Michelle Rossignol a développé ce que j'appelle la théorie du jeu par les pieds, qui consiste à trouver, tout d'abord, les souliers du personnage.

WAJDI MOUAWAD. Est-ce que tu interviens parfois dans ce processus propre à chacun ?

ANDRÉ BRASSARD. Non. Sauf si je m'inquiète de la tournure des événements. Là, je vais prendre l'acteur à part et je vais lui dire : « Qu'est-ce que tu fais ? Explique-moi parce que je comprends pas. Je peux pas te suivre et je peux pas t'aider. »

WAJDI MOUAWAD. Est-ce qu'il y a, chez l'ensemble des acteurs avec qui tu as travaillé régulièrement, un dénominateur commun ?

ANDRÉ BRASSARD. La confiance qu'ils m'accordaient. S'ils n'avaient pas eu cette confiance-là, ils n'auraient pas fait les folies que je leur ai demandé de faire en répétition, jouer toute la pièce à quatre pattes, par exemple.

WAJDI MOUAWAD. Lorsqu'un acteur n'arrive pas à faire quelque chose que tu lui demandes, comment cela se passe-t-il ?

ANDRÉ BRASSARD. On essaye de comprendre pourquoi. En général, le « jardin secret » des acteurs ne me regarde pas ; ça me regarde uniquement s'il y a des fleurs qui dépassent et qui ne semblent pas appartenir au bon paysage. Je vais alors entrouvrir la porte du jardin et voir pourquoi cette fleur a poussé là, d'où elle vient. J'ai lu quelque part une pensée de Jean Vilar à propos de la difficulté qu'un acteur peut avoir avec son « personnage ». Il conseillait à l'acteur de prendre son personnage par le collet et de lui dire : « Regarde, je suis pourri, hein ? Je te joue mal. Mais j'ai fait ce que j'ai pu. Viens me dire comment jouer. » Je ne connais pas un personnage au monde qui refuse l'aide qu'on lui demande.

WAJDI MOUAWAD. Qu'est-ce qui te bouleverse chez les acteurs ?

ANDRÉ BRASSARD. Cette manière qu'ils ont d'assumer, une fois pour toutes, ce que la plupart du monde essaie de fuir, c'est-à-dire l'idée de vivre avec l'insécurité. Une insécurité personnelle. Et la plupart du temps, ils doivent défendre un texte et une mise en scène qui ne sont pas les leurs. J'ai l'impression que l'art est devenu comme la prière, pour nous, en Occident. Le monde n'a plus le temps de prier, alors il y a des carmélites. Il y avait une actrice, Denise Morelle, morte dans des circonstances tragiques, qui était, pour moi, l'actrice « idéale ». Elle n'est jamais devenue une vedette, n'a jamais fait beaucoup d'argent. Elle faisait du théâtre pour servir le théâtre et non pas pour s'en servir. Elle était là. Savoir qu'elle participait à des aventures théâtrales, que ce soit des aventures liées à la création ou au répertoire, lui suffisait. Son départ a laissé un vide qui ne se comblera jamais dans mon cœur. C'est grâce à la confiance et à la générosité des acteurs que je sais ce que je sais maintenant. Je pourrais presque dire que les acteurs m'ont tout appris. J'ai rêvé de faire un film, un jour, sur un pays où il y aurait eu une maladie contre laquelle les acteurs avaient été immunisés à force d'y avoir été exposés. On les verrait alors tous les jours aller sur la place publique pour jouer et guérir les gens qui sont atteints de la maladie.

WAJDI MOUAWAD. Qu'aurait été cette maladie ?

ANDRÉ BRASSARD. L'insécurité ? La peur de vivre la liberté ? Le malheur ? L'insatisfaction ?

L'enregistreuse s'arrête. Wajdi et Sophie se lèvent. Rangent leurs affaires. Saluent André et sortent. André reste seul.

8

FAIRE CROIRE OU FAIRE ACCROIRE ?

Même lieu. Pluie battante. L'appartement est sombre. Nuages lourds. André Brassard regardera souvent par la fenêtre tout au long de l'entretien. Wajdi et Sophie ont les cheveux mouillés. Ils viennent d'arriver. Sophie allume l'enregistreuse. Bruit étrange. André sourit. Toujours narquois devant cette technologie. Celle-ci semble faire défaut. Sophie écarte l'appareil de la table. Sort un cahier. Elle notera tout l'entretien à la main.

Silence.

WAJDI MOUAWAD. Depuis quelques années, dans nos conversations, tu fais souvent référence à des émissions, des séries, des reportages que tu as vus à la télévision. Qu'est-ce que la télévision t'apporte, comme spectateur, que tu ne trouves pas au théâtre ?

ANDRÉ BRASSARD. En replongeant dans des séries comme *Prime Suspect,* je retrouve une habitude agréable, le plaisir que j'avais lorsque je regardais la télévision dans les années 1950. Radio-Canada diffusait alors deux télé-théâtres par semaine. On présentait, la majeure partie du temps, des classiques. Je ne dis pas que c'était bon tout le temps, mais au moins, c'était un contact avec un répertoire qui, je pense, facilitait la vie aux directeurs artistiques. Strindberg et Ibsen, grâce aux téléthéâtres, n'étaient pas des inconnus et il était plus facile de les programmer. Aujourd'hui, je regarde moins la télévision à cause de la présence des annonces publicitaires. La télévision est devenue pour moi un écran pour visionner les DVD.

WAJDI MOUAWAD. Justement, il suffit de venir chez toi, d'être assis comme je suis assis actuellement, face à toi, pour comprendre ta passion pour le cinéma maison. Il y a là, sous mes yeux, peut-être un millier de cassettes vidéo et de DVD, classés et rangés. Est-ce que ce rapport à l'écran, qu'il soit celui du cinéma ou celui de la télévision, a, d'une manière ou d'une autre, influencé ta façon de voir le théâtre, de le créer, de l'aborder ?

ANDRÉ BRASSARD. Oui, dans la notion de découpage de l'espace, dans le gros plan. J'ai travaillé beaucoup un moment donné avec les gros plans.

WAJDI MOUAWAD. Comment, au théâtre, fais-tu un « gros plan » ?

ANDRÉ BRASSARD. Tu isoles. Ma mise en scène de *Bonjour, là, bonjour*, avec la grande table, était pensée comme un plan large. Quand on allait chercher des scènes à deux, on n'éclairait que deux acteurs. Ce qui n'enlevait pas l'existence aux autres, mais permettait aux spectateurs de focusser. C'était une façon d'arriver au gros plan.

WAJDI MOUAWAD. Penses-tu que le cinéma, qui est un art aujourd'hui tellement sonore, avec les bandes son et la musique, a eu une influence dans ta manière d'« entendre » la pièce ou de la mettre en musique ?

ANDRÉ BRASSARD. Non. L'environnement sonore est un élément que je n'ai jamais maîtrisé. La musique non plus. En ce sens, ma référence reste Tremblay. C'est Tremblay, la musique. C'est à Tremblay que je demandais quoi mettre dans ses pièces. Moi, je ne connais pas ça. Je pourrais toujours faire la différence entre un quatuor de Brahms et un quatuor de Mozart, mais ce n'est jamais à la base de mon travail. Au début des répétitions, je me dis toujours que je n'aurai pas besoin de musique, que je n'aurai pas besoin d'éclairage parce que les acteurs vont être assez bons. Je crois profondément que si on répétait assez, les acteurs seraient en mesure de faire entendre la musique et de jouer sans effet de lumière, avec le focus d'énergie.

WAJDI MOUAWAD. Qu'est-ce que tu entends par focus d'énergie ?

ANDRÉ BRASSARD. Si on reprend l'exemple du gros plan, j'ai toujours pensé qu'un acteur, surtout s'il a fait du cinéma, peut, par un travail d'intériorité, attirer sur son visage, et seulement sur lui, le focus des spectateurs. Si ce travail est fait, on n'a plus besoin de faire le noir autour de lui, de l'isoler avec un projecteur. Au début du travail avec le concepteur d'éclairage, je dis souvent : « Donne-moi un pleins feux et ça va aller. » Tranquillement, je me dis : « Mmm... Faudrait peut-être réduire l'espace dans cette scène-là, ou l'élargir, ou isoler. »

WAJDI MOUAWAD. Qu'est ce qui te pousse à changer d'avis ?

ANDRÉ BRASSARD. L'impression qu'on n'y arrive pas. C'est sûrement parce qu'on répète pas assez. C'est une nuance qu'on n'a pas le temps de rajouter. C'est étrange et pas très sympathique, mais j'ai toujours perçu la lumière comme une preuve d'échec. J'en ai parlé beaucoup avec Michel Beaulieu, lui disant à quel point je ne parvenais pas à voir l'éclairage autrement que comme un pansement, une béquille.

WAJDI MOUAWAD. Qu'est-ce qu'il t'a répliqué ?

ANDRÉ BRASSARD. Que j'avais tort, que c'était plus que ça, que la lumière est une façon de créer un monde. Pour ma part, je ne sais pas encore comment contrôler ce monde-là.

WAJDI MOUAWAD. Est-ce que tu as travaillé souvent avec Michel Beaulieu ?

ANDRÉ BRASSARD. Depuis trente ans, oui.

WAJDI MOUAWAD. Michel Beaulieu est un de nos grands éclairagistes. Pourquoi, alors, si l'éclairage est une béquille pour toi, travailles-tu avec lui ?

ANDRÉ BRASSARD. Parce que dans les domaines où je me considère ignorant, comme l'éclairage ou la musique, je m'entoure de collaborateurs sur qui je peux compter pour me faire bien paraître. En plus, il est sympathique. C'est une personne que j'aime bien et c'est toujours agréable de se retrouver avec des gens qu'on aime à la table de régie, surtout à l'époque où je passais mes journées assis dans la salle à dire : « Monte le 3, descends le 4. » C'est une chose que j'haïs et Michel m'a permis de me dégager de tout ça. Il m'a dit : « T'es pas dans l'atelier de couture quand les robes sont fabriquées. T'attends de voir le résultat, puis là, t'aimes ça ou t'aimes pas ça. Avec l'éclairage, c'est pareil. »

WAJDI MOUAWAD. Est-ce que tu as le même rapport aux costumes qu'à la lumière en ce qui concerne les acteurs ?

ANDRÉ BRASSARD. Non, parce que le costume touche directement au personnage.

WAJDI MOUAWAD. La lumière aussi.

ANDRÉ BRASSARD. Oui, mais elle n'a pas besoin d'être aussi réelle qu'un costume. C'est la même chose pour les accessoires. Si un personnage tient une tasse, la tasse est vraie.

WAJDI MOUAWAD. D'accord, mais au théâtre la réalité est toujours rêvée. La tasse ne représente pas toujours une tasse. Dans ma pièce *Incendies*, il y a ce moment où un comédien est assis sur une chaise, dos au public. Il indique un escabeau en bois en disant à une comédienne : « Tu

vois l'arbre qui est là ? Il a cent ans. C'est un cerisier. »
Les spectateurs, pendant une fraction de seconde, se
détournent pour voir l'escabeau et reviennent vers le
comédien, comme si de rien n'était.

ANDRÉ BRASSARD. C'est la magie du théâtre. Ça ne
tient qu'à un fil, c'est-à-dire la bonne volonté du spectateur, ce que les Anglais appellent *suspension of disbelief.*
Quand une actrice connue entre sur scène en disant :
« Je suis la femme de ménage », quelqu'un dans la salle
pourrait très bien dire : « Ben non ! Je t'ai vue à la TV
hier ! » C'est très fragile. Et pour revenir à notre tasse,
même si elle ne représente pas une tasse, ça reste une
tasse entre les mains du comédien. Elle a une réalité.
Alors que la lumière est faite d'une autre matière. C'est
moins ancré, plus volatil. Je ne sais pas exactement ce
qu'elle représente.

WAJDI MOUAWAD. Elle symbolise le temps et l'émotion
d'une scène. En ce sens, la lumière raconte aussi l'histoire puisque, d'une manière ou d'une autre, tu te
retrouves à dire à l'éclairagiste : « Là, maintenant, c'est
une scène de nuit. »

ANDRÉ BRASSARD. Je préfère quand ça passe par
l'acteur. Tu vois, je me suis ennuyé pendant tellement
longtemps des rhéostats à main parce que je trouvais
qu'il n'y avait pas de feeling avec les ordinateurs,
avec les pitons. Des fois, je disais à l'éclairagiste : « La
lumière veut se lever, mais tu ne veux pas : il y a une
lutte. » Évidemment, avec un ordinateur, ce genre de
commentaire devient compliqué à appliquer. Pendant
des années, j'ai eu la manie de récupérer une grosse
Bertha, c'est-à-dire une grosse console d'éclairage, un
gros jeu d'orgue à six manettes. Je le mettais sur scène en
demandant aux acteurs de faire leurs propres éclairages.
Quand j'ai fait *Le Balcon* au TNM, j'ai dit : « Il y a deux

pleins feux. Un pleins feux de jour, un pleins feux de nuit. » Dans le pleins feux de nuit, il y avait des follow spots sur scène opérés par les acteurs. Et puisqu'il faut pallier au manque de temps de répétition (ce qui aurait permis à l'acteur d'être sa lumière et sa musique), j'ai souvent souhaité que ce soient les acteurs qui manipulent, depuis la scène, la console d'éclairage et qui amènent leur bande sonore.

WAJDI MOUAWAD. C'est une position assez radicale.

ANDRÉ BRASSARD. Oui, parce que je ne crois pas en Dieu. J'ai souvent eu l'impression que la lumière venait du bon Dieu. Comme le son. J'espère créer une autarcie de la scène, c'est-à-dire que ce qui se passe sur scène ne dépende pas d'effets, d'événements qui ne proviennent pas de la boîte elle-même. Comme si je souhaitais faire un monde sans bon Dieu. Je ne crois pas en Dieu mais je m'en sers quand c'est pratique. Quand je mets un cue de lumière, j'insiste presque toujours pour qu'il arrive doucement, sans qu'on le voie arriver. Je me souviens, comme spectateur, m'être souvent dit en voyant un spectacle : « Oh ! Y a un cue, là. » Ça m'a amené à dire, un jour, que certains metteurs en scène se montraient le cue. Une fois, j'ai passé deux semaines à Avignon et je n'ai pas eu l'impression d'avoir vu des acteurs, mais des parades de mode d'idées et de concepts, du genre une fille est pieds nus avec des plumes blanches entre les orteils.

WAJDI MOUAWAD. Je t'ai toujours senti très réfractaire à ce genre d'images. Pourtant c'est quelque chose qui peut être beau, qui peut avoir aussi sa place. D'où vient ce refus ?

ANDRÉ BRASSARD. J'ai sans doute été traumatisé à la création de *Sainte Carmen* à l'été 1976. C'était sûrement mon erreur. J'avais préparé toute une entrée : le chœur grec avec des grandes perruques, des grands cothurnes, des grandes affaires qui pendaient et des demi-masques. J'étais assis dans la salle le soir de la deuxième, derrière des dames, et l'une d'elles a dit à sa voisine : « Il viendra pas me faire accroire que le monde est arrangé de même sur la Main, jamais. » Je me suis dit : « Oh ! Je viens de faire une mise en scène européenne. » J'avais présupposé que le public avait acquis, par une longue fréquentation du théâtre, une aptitude à décoder, mais malheureusement, chez nous, on n'était pas rendus à ce niveau de sophistication. Ça a été une grande leçon d'humilité.

WAJDI MOUAWAD. Est-ce que tu penses que le public a évolué entre 1976 et aujourd'hui ?

ANDRÉ BRASSARD. Sans doute.

WAJDI MOUAWAD. Est-ce qu'aujourd'hui il serait capable de décoder davantage ?

ANDRÉ BRASSARD. Ça dépend qui.

WAJDI MOUAWAD. Et si le public est formé d'un ensemble d'individus fort différents, comment décider pour lequel d'entre eux tu vas travailler ? Pour celui qui peut décoder le plus ou pour celui qui peut décoder le moins ?

ANDRÉ BRASSARD. Ni pour l'un, ni pour l'autre, je travaille pour moi.

WAJDI MOUAWAD. Alors si tu es en mesure de décoder une image, pourquoi tu ne la ferais pas ?

ANDRÉ BRASSARD. C'est comme je t'ai déjà dit : je me trouve aussi quétaine que tout le monde.

WAJDI MOUAWAD. C'est une fausse humilité, il me semble. Lorsque j'étais directeur artistique du Théâtre de Quat'Sous, j'ai eu à dire, quelques fois, à des metteurs en scène qui venaient me proposer des projets dits « populaires » : « Excusez-moi, mais si je propose ça, le public qui vient au Quat'Sous va s'imaginer que je le prends pour un crétin. » C'est le rapport inverse de ce que tu décris.

ANDRÉ BRASSARD. T'avais raison parce que le Quat'Sous est un petit théâtre qui a besoin de 4000 spectateurs pour faire ses frais. Tu peux alors attendre de ton spectateur un plus haut niveau de sophistication, une plus grande habitude.

WAJDI MOUAWAD. Pour revenir à nos concepteurs de lumière, costumes, décors, son et autres, lorsque tu es en salle de répétition, tu travailles et tu fais face à un choix, comme celui de présenter la pièce d'un point de vue hyperréaliste ou plus symbolique. Tu n'as pas l'impression que, si tu décides en vertu d'un public, tu passes à côté de l'œuvre et de ton rapport à l'œuvre ?

ANDRÉ BRASSARD. Oui. Je dis souvent que j'aime la même chose que tout le monde, mais je ne peux pas faire abstraction du fait que je suis un spécialiste. Les spécialistes ont tendance à parler une langue de bois et je ne veux pas faire une mise en scène de bois. En fait, souvent, mes hésitations sont à la hauteur de mes doutes. J'ai souvent essayé depuis les vingt dernières années d'avoir des décors que j'appelle « ouverts » parce que le mode de production nous oblige à décider à l'avance. Un décor ouvert, c'est un décor qui peut représenter plusieurs choses à la fois. Ça me permet de me dire, lorsque l'on prend la décision finale devant la maquette : « Si je décide de le faire comme ça, plus tard, je vais pouvoir. »

WAJDI MOUAWAD. Oui, c'est une manière de ne pas emprisonner le sens. De quelle manière le mode de production des spectacles que tu as connu dans les années 1960-1970 a évolué ?

ANDRÉ BRASSARD. Avant, ce n'était pas un business ; les bureaux étaient moins importants. Aujourd'hui, quand on entre dans un théâtre, on découvre qu'il y a des entités qui sont constituées. Des équipes : l'équipe technique, l'équipe de production. Je suis sûr que si j'arrivais les yeux fermés dans un théâtre et que je regardais un spectacle, je pourrais te dire où il a été produit.

WAJDI MOUAWAD. Actuellement, dans un théâtre institutionnel, pour produire un spectacle, cela fonctionne, *grosso modo*, de la manière suivante : il y a un directeur de production qui s'occupe du corps du spectacle (décors, costumes, éclairage et son) et il y a le metteur en scène, avec son assistant et les acteurs, qui répètent dans un local de répétition. L'assistant fait le lien entre ce qui se passe dans la salle de répétition et le directeur de production qui, lui, doit, à un moment donné, avoir des plans pour construire un décor. Or, comme il y a eu un spectacle avant qui occupe la scène du théâtre, il y aura un spectacle après, ce qui amène le théâtre à se situer dans un rapport au temps bien particulier. Pourquoi les choses sont faites de cette manière ? Pourquoi les dates de fin de représentations sont décidées si longtemps à l'avance alors qu'on ne sait encore rien de l'ombre même du spectacle à venir ? Qui a décidé que ça allait fonctionner comme ça ?

ANDRÉ BRASSARD. L'abonné et l'abonnement.

WAJDI MOUAWAD. Quand est-ce que l'abonnement est arrivé ?

ANDRÉ BRASSARD. Il y a eu un livre de Randy Newman qui s'appelait *Subscribe Now*. C'est lui qui a inventé l'abonnement aux États-Unis pour les théâtres « régionaux ».

Le Conseil des arts s'est emparé de cette idée et a essayé de convaincre chacune des compagnies qu'il subventionnait d'avoir des abonnés. Ainsi, les théâtres ne dépendraient plus nécessairement de la critique pour avoir du public. Ça permettrait aussi d'avoir un peu de public lors des premières représentations, alors que le bouche-à-oreille n'est pas encore commencé. Malheureusement est arrivée, à la même époque, la conscience du consommateur. L'abonné s'est senti devenir un client. Il est passé de « On adhère au projet artistique » à « On en veut pour notre argent ». Je sais pas si t'as eu du chantage au Quat'Sous, mais lorsque j'étais directeur artistique au CNA, à Ottawa, je recevais souvent ce genre de message : « Un autre spectacle comme ça et je ne reviens plus. » La nécessité de l'abonnement a fini par former les saisons, a institué l'horaire et le mode de production que l'on a aujourd'hui.

WAJDI MOUAWAD. Quel est, d'après toi, au théâtre, le corps de métier le plus ingrat ?

ANDRÉ BRASSARD. L'assistant.

WAJDI MOUAWAD. Pourquoi ?

ANDRÉ BRASSARD. Les assistants sont comme les maîtres de ballet dans les compagnies de danse. Lorsqu'il y a reprise, le chorégraphe ne revient pas à chaque fois. Ce sont eux qui détiennent l'esprit et le détail. Ce sont eux qui font répéter les nouvelles distributions et qui assurent la continuité du spectacle. Mais au théâtre, les reprises sont rares et on travaille rarement dans la continuité. J'ai toujours rêvé de pouvoir dire un jour : « À partir d'une générale X, c'est l'assistant qui donne les notes. » Mais c'est impossible parce que les acteurs ne prennent pas assez au sérieux les assistants. Rares sont ceux qui réussissent à maintenir la rigueur et la tenue dans un spectacle qui joue depuis longtemps, qui peuvent dire de temps en temps à tel ou tel acteur : « Il me semble que tu t'éloignes un peu de ce qu'on avait dit. » Ce sont des personnes très fidèles. Fidèles à maintenir un esprit dans une troupe. Ils sont là tous les soirs, ils arrivent de bonne heure, ils demandent à chaque comédien : « Comment ça va ? Qu'est-ce qu'il y a ? » Mais on ne leur a pas donné la liberté de dire : « Ça, c'est mieux. Garde ça. »

WAJDI MOUAWAD. Lou Fortier a été ton assistante pendant longtemps. Comment le travail se déroulait-il avec elle ?

ANDRÉ BRASSARD. Je l'ai connue à l'École nationale il y a très longtemps. Puis je l'ai revue quand je suis arrivé au CNA. Entre nous, il y a eu une complicité qui n'a jamais cessé de grandir. Elle avait été l'assistante de Gilles Renaud quand il était directeur de la section interprétation à l'École. Lorsque je l'ai remplacé, en 1992, j'ai demandé à Lou de rester. C'est peut-être ça qui l'a tuée, d'ailleurs, parce qu'elle avait vraiment besoin de se reposer, mais elle n'a pas pu me dire non. Ce qui la caractérise, surtout, c'est son dévouement. J'ai eu plus tendance à travailler avec des femmes comme assistantes (Roxanne Henry, Josée Kleinbaum) qu'avec des hommes.

WAJDI MOUAWAD. Quel est l'aspect essentiel du travail de conception dont tu pourrais difficilement te passer ?

ANDRÉ BRASSARD. Ça dépend des spectacles, mais j'ai toujours accordé beaucoup d'importance aux accessoires pour que le rapport avec les mots soit concret. J'ai souvent fait répéter les acteurs avec des objets, une poupée ou un crayon, par exemple, en leur disant : « Dans la réplique, tu choisis ce que tu donnes à l'autre. Même si la réplique n'est pas finie. Il y a des monologues de trois pages, mais tu essayes de lui donner la chose cinquante fois. Et l'autre la regarde, te la remet, te la relance ». Ça donne une forme concrète à l'échange. Toute la mise en scène d'*Albertine en cinq temps* s'est construite autour de la tasse de la mère. Une vieille tasse. C'était l'objet central. On se la passait, on se la donnait pour se réconforter et ça donnait au jeu des comédiennes un certain niveau de vérité.

WAJDI MOUAWAD. L'accessoire ne peut pas être figuré par le comédien ?

ANDRÉ BRASSARD. Non. Je n'ai jamais cru aux acteurs qui font semblant d'avoir des accessoires dans les mains. C'est une technique tellement particulière de pouvoir dire : « Je tiens la bouteille, j'ai le verre et je verse le contenu de la bouteille dans le verre. » C'est un métier à part. Ça demande une énergie qu'on ne demande pas à l'acteur. Ce qu'on demande à l'acteur, c'est de transformer un objet réel en objet mythique. Si le personnage est supposé avoir quelque chose dans les mains, il faut qu'il ait quelque chose dans les mains. Enfin, c'est mieux. J'ai beaucoup de misère à dire *ça doit, il faut, je veux*. Mais dire *je veux*, c'est tellement plus simple que de se mettre à expliquer.

WAJDI MOUAWAD. *Ça doit, il faut, je veux* : ce sont des mots de pouvoir. Que penses-tu de l'idée d'avoir le pouvoir ?

ANDRÉ BRASSARD. En mise en scène comme en politique, comme partout d'ailleurs, le désir du pouvoir est lié à notre peur. On vit avec l'illusion qu'en s'emparant du pouvoir, on va contrôler notre peur puisque l'on va pouvoir faire les choses à notre manière. Mais ce n'est qu'une illusion. On n'a pas moins peur ; on a de plus en plus peur parce qu'on a de plus en plus de responsabilités. Malheureusement, notre société a développé le sens du droit sans développer le sens de la responsabilité. On n'entend presque jamais parler de la responsabilité du citoyen ; seulement de ses droits. Le droit à tout. « J'ai le droit ! J'ai ben le droit ! » Les scandales dont on entend régulièrement parler indiquent bien qu'il y a des gens au pouvoir qui n'en assument pas la responsabilité.

WAJDI MOUAWAD. Est-ce que c'est le pouvoir, son attrait, son goût, qui pervertit le sens des responsabilités ?

ANDRÉ BRASSARD. Je ne suis pas sûr. Parfois, il me semble que ce sont les gens qui désirent le pouvoir qui sont déjà pervertis. C'est-à-dire qu'ils ne le désirent pas nécessairement pour des bonnes raisons. Ceci dit, il faut tellement ramper pour accéder au pouvoir que c'est normal que ça finisse par créer un nombre épouvantable de frustrations et, qu'une fois au pouvoir, on ait envie de dire, comme Jean Charest : « Enfin ! Ça va être à mon goût ! »

WAJDI MOUAWAD. On pourrait appeler cela « le complexe de Créon ».

ANDRÉ BRASSARD. Oui, et Créon, on est bien obligés de le comprendre. Il a sa ville à organiser. C'est pas simple. J'aimerais bien voir une production où Créon comprend Antigone. Comme dans *Sainte Carmen* où Maurice comprend Carmen.

WAJDI MOUAWAD. En salle de répétition, pour que les choses avancent, le metteur en scène n'a pas le devoir, tout de même, de prendre le pouvoir, de devenir un dictateur ?

ANDRÉ BRASSARD. Pas un dictateur. Ça prend quelqu'un qui lit la pièce et qui prend la capitainerie du bateau. Ça ne veut pas dire que cette personne-là soit un dieu. C'est le *primus inter pares*, le premier parmi les égaux.

WAJDI MOUAWAD. Ce n'est pas un démocrate.

ANDRÉ BRASSARD. Non.

WAJDI MOUAWAD. Ça nous ramène donc à la nécessité du point de vue. Et du metteur en scène comme responsable de ce point de vue. Cette responsabilité, au Québec, s'est éveillée à une époque où toi, Paul Buissonneau, Jean Gascon et Jean-Pierre Ronfard avez défendu le point de vue d'une manière différente de celle de vos prédécesseurs. Je ne veux pas dire par là qu'ils n'avaient pas de point de vue, mais il n'était pas lié, chez eux, à l'idée de la mise en scène.

ANDRÉ BRASSARD. Je dis oui, mais je veux juste te rappeler que la préoccupation principale était de bâtir une dramaturgie et, de façon plus terre-à-terre, de plaire à un public pour qui le concept de mise en scène n'existait pas encore.

La pluie a cessé. Un rayon timide perce les nuages et tombe au loin, au fond du salon, sur le portrait de Jean Genet. On croirait qu'il sourit. André, regard et voix fatigués, demandera à Sophie et Wajdi s'ils veulent bien descendre les poubelles. Munis des sacs-poubelles, ils regardent André. Le saluent et sortent. André reste seul.

9

LES ENFANTS

Même lieu.

WAJDI MOUAWAD. Comment, de manière globale, as-tu abordé l'enseignement du théâtre au cours de tes années à l'École nationale, d'abord comme metteur en scène invité, puis comme directeur de la section interprétation de 1993 jusqu'à 2002 ?

ANDRÉ BRASSARD. Je vais reprendre ces mots de Genet : « Mon but n'est pas de t'enseigner, mais de t'enflammer. »

WAJDI MOUAWAD. Que représentaient à tes yeux les premières mises en scène que tu as réalisées pour les élèves de l'École ? Des mises en scène qui sont, au fond, des exercices pédagogiques puisque tu es dans l'obligation de travailler avec une classe qui compte tant de garçons et tant de filles que tu n'as pas choisis et qui ne te connaissent pas nécessairement.

ANDRÉ BRASSARD. Ça permet de gagner sa vie sans être obligé de s'exposer à l'opinion publique, et c'est bon pour l'ego d'être avec une gang de jeunes qui t'admirent. C'était une époque où j'étais connu. Les élèves connaissaient mes spectacles. Ils avaient envie de travailler avec moi. Ce sont les élèves qui m'ont demandé, la première fois. En plus, à l'École, les élèves sont prêts à tout essayer. Une autre chose qui était bien, c'est que les circonstances ont fait en sorte que j'ai travaillé plusieurs années consécutives avec la même classe, celle d'Yves Desgagnés, Julie Vincent, Denis Bouchard, Nathalie Gascon, René Gingras et d'autres.

WAJDI MOUAWAD. Qu'est-ce que cela a représenté, tant au niveau professionnel que personnel, qu'un accompagnement comme celui-là ?

ANDRÉ BRASSARD. Tu sais, comme je n'avais pas d'enfants et que j'en aurai sans doute jamais, j'ai eu à me demander, vers l'âge de 30 ans, c'est-à-dire peu de temps avant cette expérience, de quelle manière j'allais participer à la transmission, puisque la job de l'être humain sur la Terre est de transmettre. L'École nationale de théâtre, en ce sens, a eu une grande importance dans ma vie puisqu'elle apportait une réponse à cette question.

WAJDI MOUAWAD. D'où le désir évident de les enflammer.

ANDRÉ BRASSARD. Oui. Avec cette classe, j'ai d'abord fait *Périclès* de Shakespeare. L'année d'après, j'ai monté *Les Trois Sœurs* de Tchekhov et j'ai remplacé, pour des raisons de santé, André Pagé (directeur de l'École à l'époque) pour un travail sur des monologues de Tremblay. Puis, pour leur sortie de l'École, l'année suivante, j'ai fait *La Nuit des rois.* Je me suis donc occupé d'un groupe. C'est le grand avantage lorsque tu es metteur en scène invité. Tu passes ton temps avec un groupe et tu as envie de tout lui donner.

WAJDI MOUAWAD. Est-ce qu'il y a des acteurs que tu as rencontrés à l'École qui par la suite t'ont enflammé, toi ?

ANDRÉ BRASSARD. Y en a pas mal. Je ne peux pas tous les nommer. Élise Guilbault, par exemple.

WAJDI MOUAWAD. Comment la rencontre s'était-elle déroulée ?

ANDRÉ BRASSARD. J'avais dirigé un exercice de première année avec sa classe et ce n'était pas terrible, je dois dire. Plus tard, lorsqu'ils étaient en troisième année, j'ai fait un spectacle sur Beckett et c'est à l'occasion de ce petit spectacle que j'ai vraiment rencontré Élise. Plus tard encore, un samedi soir, je suis allé assister à leur dernier spectacle. Je suis allé féliciter les comédiens et je suis parti. J'ai marché trois coins de rue puis je suis revenu les voir. J'ai demandé à Élise de s'approcher et je lui ai dit : « Élise, je ne sais pas sur quoi, mais tu vas travailler avec moi l'année prochaine, toute l'année. Prends rien d'autre. Je vais essayer de te donner de l'ouvrage. Pas des premiers rôles, mais je vais te faire travailler. » J'étais au CNA à ce moment-là. C'était l'année où je m'étais fait une petite famille de six acteurs pour monter Feydeau, André Ricard et Beckett.

WAJDI MOUAWAD. Pourquoi tu ne voulais pas lui donner des premiers rôles ?

ANDRÉ BRASSARD. Parce que je ne crois pas que ce soit un service à rendre à un jeune acteur que de lui mettre un premier rôle sur les épaules avant qu'il ait compris la différence (en général liée aux conditions de travail) qui existe entre l'École et le milieu professionnel. À l'École, les acteurs travaillent avec des gens qu'ils connaissent et disposent de plus de temps pour travailler et répéter ensemble. Dans le métier, tout le monde travaille à droite et à gauche et c'est dur de retrouver le sens de la famille. Certains acteurs à qui l'on a donné de grandes responsabilités à leur sortie de l'école se sont sentis parfois tellement perdus et égarés qu'ils se sont cassé la gueule et on ne les a plus jamais revus par la suite. Dans le cas d'Élise, on a pris le temps de se connaître. L'année d'après, l'année des *Paravents*, je lui ai dit : « Je pense que là, t'es prête. »

WAJDI MOUAWAD. Tu viens d'évoquer la « famille » d'acteurs. Faire partie d'une classe d'une école de théâtre c'est, d'une certaine manière, faire partie d'une famille. Est-ce que, au cours de tes années liées à l'École comme metteur en scène, tu as vu une différence entre les élèves que tu as dirigés et ceux que tu as choisis et connus plus tard comme directeur d'école ?

ANDRÉ BRASSARD. Il y a 30 ans, un enfant qui venait d'une famille de huit enfants, ce n'était pas rare. Le partage entre les frères et les sœurs était plus naturel. Depuis, il y a eu la génération des enfants uniques parce que c'est moins de trouble et que ça coûte moins cher. C'était forcément différent pour ces élèves-là, plus compliqué de dealer avec un groupe.

WAJDI MOUAWAD. Tu as pris la direction artistique de la section interprétation et la section écriture de l'École nationale de théâtre en succédant à Gilles Renaud. Comment as-tu abordé la chose ?

ANDRÉ BRASSARD. Dans la continuité de Gilles, d'abord. Ce n'est pas mon genre d'arriver et de dire : « On met tout le monde à la porte et on repart à zéro. » J'ai remercié quelques professeurs. J'ai surtout demandé à Lou Fortier de rester pour m'aider.

WAJDI MOUAWAD. Qu'est-ce que tu voulais faire avec l'École ?

ANDRÉ BRASSARD. L'école. Je croyais naïvement que je pourrais continuer à avoir un contact personnel avec tous les élèves. Je crois que c'est dans le contact personnel qu'une école se fait, en parlant. Mais je n'ai pas eu le temps. Je n'aurais pas dû me donner des projets spéciaux avec des classes ou m'engager comme metteur en scène. J'aurais dû engager d'autres metteurs en scène pour pouvoir rester attentif à chacun d'entre eux. Mais j'étais toujours dans ma furie de travail.

WAJDI MOUAWAD. Peux-tu parler du programme de l'École ?

ANDRÉ BRASSARD. C'est une progression. Une première année de formation générale. Des cours de chant, de diction, d'histoire et de voix, quelques cours de mouvement et des ateliers en après-midi. L'élève a l'occasion de toucher à tous les aspects du théâtre : jeu, technique, scénographie et écriture. C'est un survol. La deuxième année est beaucoup plus technique, axée sur le travail du corps. Des cours de mouvement, des cours de danse, des cours de gym, des cours de chant, avec un travail d'interprétation sur différents genres : la comédie, le québécois, le classique. La troisième année poursuit la formation mais à travers des exercices d'interprétation qui sont présentés, pour la première fois, publiquement. La quatrième année essaie de refléter ce que sera la vie professionnelle. Il n'y a plus de cours et les élèves sont engagés toute l'année dans des productions qui se veulent des productions professionnelles, des productions qui lient ensemble les quatre sections de l'École : écriture, jeu, technique et scénographie.

WAJDI MOUAWAD. Est-ce que tu as été tenté d'annuler la quatrième année ?

ANDRÉ BRASSARD. Pas du tout. Elle est importante, surtout depuis l'ajout de la section écriture. C'était important que les auteurs aient des élèves à leur disposition pour créer leurs textes. Si on n'avait que trois ans, on n'aurait pas le temps de faire autant de créations des auteurs inscrits à l'École.

WAJDI MOUAWAD. J'ai, en ce qui me concerne, dirigé des exercices à l'École, uniquement sous ta direction. En travaillant avec les élèves que tu avais choisis et que tu formais, j'ai remarqué une soif de questions davantage qu'une soif de réponses. Je crois que c'était lié à toi. Je n'ai pas du tout été surpris lorsque j'ai appris que, une fois par mois, il se donnait un « cours de questions ». Qu'est-ce que c'était, ce souci des questions ?

ANDRÉ BRASSARD. En général, les gens attendent des réponses. À l'École, j'avais le désir de lancer des questions aux élèves.

WAJDI MOUAWAD. Pourquoi ? Ce n'est pas bien d'espérer des réponses ?

ANDRÉ BRASSARD. Parce que les réponses d'un autre ne sont pas valables pour toi, même s'il y a des éléments que tu peux appliquer. Un monde fait uniquement de réponses nous rapproche de l'intégrisme. Apporter davantage de questions que de réponses était ma contribution. Lorsque tu es directeur d'une école qui a une tradition forte, tu n'as pas le choix : tu ne peux pas agir comme si tu venais d'ouvrir un cours privé et que les gens avaient choisi de venir avec toi. Si j'avais eu ce sentiment, je me serais senti plus libre d'être personnel.

WAJDI MOUAWAD. Qu'aurais-tu fait alors ?

ANDRÉ BRASSARD. J'aurais fait un travail d'atelier pour me dégager du travail de résultat. Je voulais que les acteurs ne se sentent pas limités par le carcan rassurant de la mise en place et qu'ils puissent écouter le texte d'une manière différente. Renouveler l'écoute à chaque fois parce que le grand piège consiste à croire que lorsque l'on a compris, on a compris. Souvent on se prive de beaucoup, on se prive de découvrir des choses.

WAJDI MOUAWAD. Est-ce qu'il y a, dans l'idée d'un travail d'atelier, l'idée d'apprendre aux jeunes artistes comment se tromper et la nécessité de se tromper ?

ANDRÉ BRASSARD. Absolument. Si on ne se trompe pas, on n'apprend pas. Quand on réussit c'est très bien pour l'ego, ça nous permet de confirmer certaines intuitions, mais, et je suis conscient du cliché, on apprend davantage de ses erreurs. Ça m'est souvent arrivé à la première d'un spectacle de me dire : « Ah, shit ! Quessé ! J'ai rien compris ! » D'où ma manie de remonter les mêmes pièces. J'ai fait *Les Belles-Sœurs* huit fois, on a fait *Marie-Lou* cinq fois, *Les Bonnes* six fois.

WAJDI MOUAWAD. Est-ce que ce sont les présentations publiques qui t'ont empêché de te donner davantage à ce travail de recherche ?

ANDRÉ BRASSARD. C'est surtout parce que j'ai manqué de courage. Il y a l'institution dont les certitudes sont lourdes à bouger. Des fois, tu as des intuitions. Tu les exprimes. Si on soulève aussitôt les problèmes que ces intuitions représentent, tu dis : « O.K., c'est pas une bonne idée. »

WAJDI MOUAWAD. Quel genre d'intuition as-tu eue pour l'École et que tu aurais voulu concrétiser ?

ANDRÉ BRASSARD. Faire l'École à l'envers. Commencer avec la quatrième année en donnant aux élèves la satisfaction de jouer, de recevoir des applaudissements. Puis dire : « O.K., c'est fait, maintenant on travaille. » J'ai toujours remarqué que chez les élèves arrivés en quatrième année, les préoccupations deviennent extérieures, rarement rattachées à l'idée de pousser plus loin leur formation.

WAJDI MOUAWAD. L'angoisse de sortir et de réaliser que nous ne jouerons pas, que nous ne travaillerons pas est tellement grande qu'elle prend le pas sur tout le reste. Pour ma part, la quatrième année ne m'a pas aidé à affronter la peur du monde extérieur à l'École.

ANDRÉ BRASSARD. Tout le monde a peur. Demande au petit bébé le jour de l'accouchement. Il ne veut pas sortir ; il est trop bien.

WAJDI MOUAWAD. Mais dans les écoles de théâtre, les élèves sont noyés par la peur et une peur d'autant plus grande qu'il existe un tabou qui prend sa source dans ces lieux de formation et se poursuit ensuite dans la vie professionnelle : l'angoisse liée à la compétition féroce qui existe dans ce métier. Sous prétexte d'humanisme, on nous plonge dans une sorte de culpabilité dès que l'on ressent une sorte de jalousie ou d'envie liée au destin d'un camarade. Pourtant, ce sentiment est nourri par l'École elle-même. Dans sa manière de nous menacer d'expulsion, dans sa manière insidieuse de nous dire : « Regarde, il est meilleur que toi. » On est dans l'obligation d'avaler cela et dans l'interdiction de digérer, d'exprimer le sentiment qui l'accompagne. Ça crée, en général, de grands traumatisés qui, à leur tour, par leur traumatisme, nourrissent la compétition qui nourrit la peur.

ANDRÉ BRASSARD. Sans doute. Mais la peur, c'est ta colocataire à vie. Il n'y a pas un personnage de théâtre qui n'a pas peur. C'est un lien que l'acteur peut établir entre le personnage et son intimité. J'ai eu envie de faire venir à l'École des acteurs que j'avais connus, il y a 20 ans, étant très doués, mais qui avaient renoncé au métier. Et qui s'étaient trouvé une façon d'être heureux autrement. Ou d'autres qui avaient végété longtemps avant de finir par trouver des rôles.

WAJDI MOUAWAD. Pour montrer que les chemins sont différents.

ANDRÉ BRASSARD. Pour montrer que la vie est une affaire, tabarnak ! et qu'on peut suivre toutes sortes de trajets ! On peut être heureux différemment. Être acteur n'est pas une obligation ! L'accès à l'éducation, il y a longtemps, était un privilège. Aujourd'hui, c'est un droit. Et moi, dès qu'on parle de droits, je frise un peu. C'est extraordinaire à quel point les gens qui entrent à l'École, les premiers mois, sont ravis, heureux, ils sont au ciel. Au bout de six mois, ça devient banal. Je n'ai jamais réussi à trouver comment faire de l'expérience de l'École une expérience unique et rare à chaque jour. C'est terrible, mais la concentration crée une banalisation. Comment trouver le temps d'aller voir *Citizen Kane* ou *Les Enfants du paradis*, d'aller au théâtre ou au musée, lorsque le nombre de choses que l'École te demande te précipite dans la banalisation ? Tout ça finit par avoir l'air d'être du gavage d'oie.

WAJDI MOUAWAD. Dans ta fonction de directeur, tu étais responsable des élèves en interprétation, mais aussi de ceux qui étaient en écriture. Qu'est-ce qui t'a frappé dans le comportement de jeunes auteurs inscrits, en l'an 2000, dans une école d'écriture dramatique ? Qu'est-ce qui les travaillait, qui les préoccupait ? Avais-tu la même impression de « gavage d'oie » avec eux ?

ANDRÉ BRASSARD. C'était différent parce qu'ils avaient un emploi du temps différent. Mais ce qui m'a frappé, c'est l'impression qu'il fallait arracher des textes aux auteurs. Il a fallu souvent menacer un auteur de ne pas programmer sa pièce si elle n'était pas prête à telle date pour qu'on ait le temps de travailler dessus.

WAJDI MOUAWAD. Tu ne crois pas que c'est dû au fait que vous êtes toujours là, vivants et actifs ? Qu'il y a quelque chose de traumatisant à se dire : « Attention ! Tremblay est encore vivant ! Attention ! Chaurette n'est pas loin ! » ?

ANDRÉ BRASSARD. Non, non, non. Je ne pense pas. Je sais pas. Il faudrait demander. Mais il faut dire aussi que l'École n'est pas faite pour tout le monde, ou que tout le monde n'est pas fait pour l'École. Moi, par exemple, je n'aurais pas survécu. Et c'est d'ailleurs un paradoxe qu'on ait confié la direction à un autodidacte.

145

WAJDI MOUAWAD. Si je te posais la question autrement : Qu'est-ce que tu remarques chez la nouvelle génération, la mienne et celle qui la suit, celle que tu vois dans la rue ou à la télé ? La génération qui est née l'année de la première des *Belles-Sœurs,* en 1968, et celle qui est arrivée dix ans plus tard ?

ANDRÉ BRASSARD. Une grande faim et pas grand-chose dans le frigidaire. Je pense que c'est ça. Une grande faim inconsciente souvent et que, malheureusement, le système d'éducation n'a pas su rassasier. C'est toute cette idée de démocratiser le savoir, démocratiser comme lorsqu'on disait que Télé-Métropole était une télévision démocratique. Pour moi, c'est comme une mère qui, pour avoir la paix, donne de la confiture à son bébé au lieu de lui donner de la nourriture saine. On a perdu la conscience de l'importance de la mémoire, du savoir et de la réflexion. On parle beaucoup de productivité, d'efficacité, en donnant l'impression que tout est facile.

WAJDI MOUAWAD. Création d'une illusion.

ANDRÉ BRASSARD. Oui. Et quand les gens se rendent compte que ce n'est pas si facile que ça, beaucoup se découragent. Je ne suis pas resté à l'École assez long-temps pour le vérifier, mais il fut un temps où la seule façon pour une jeune personne de devenir un acteur ou une vedette consistait à passer par une école. Maintenant, il y a des découvertes de talents instantanées. L'école est donc moins importante. On voit parfois des agences de casting qui viennent voir les spectacles des étudiants de troisième année et qui sont tentées de sortir les élèves de l'École avant la fin de leur formation. La machine est tellement Moloch, tellement avide de viande fraîche, que tout cela finit par créer un vide intérieur, parce que, justement, l'intériorité des jeunes artistes n'est nourrie par rien de valable.

WAJDI MOUAWAD. C'est une question de tempérament et d'encouragement. Mais plus globalement (et ça ne touche pas que les jeunes artistes), j'ai remarqué que les gens de théâtre ont développé ce que j'appelle une culture ponctuelle, c'est-à-dire que ce n'est que dans la mesure où un metteur en scène va les approcher, que ce soit à l'École ou à l'extérieur de l'École, pour leur proposer un rôle dans une adaptation du *Château* de Kafka, qu'ils vont lire Kafka. Et l'acteur va lire *Le Château*, va découvrir Kafka, va s'émerveiller pour Kafka et va décider de tout lire Kafka. Tout cela demeure à l'état léthargique à mon sens. C'est-à-dire que, tout comme il n'aurait jamais lu Kafka tant et aussi longtemps que quelqu'un ne lui aurait pas demandé de travailler Kafka, le fait de lire Kafka ne l'amènera pas à lire Gracq ou Céline ou Shakespeare. Il n'apprend donc pas à faire dialoguer la littérature. À créer des liens.

ANDRÉ BRASSARD. Aux yeux de l'acteur moyen, ce n'est pas nécessaire parce qu'on ne lui demande, la plupart du temps, que de réussir à être naturel en trois heures. Alors pourquoi se fatiguer ?

WAJDI MOUAWAD. C'est justement cette attitude étrange que je crois important de questionner. Mais autant l'École questionne l'élève, autant elle doit, aussi, questionner le directeur. Qu'est-ce qui a fait évoluer ta perception de ce que devait être l'École pendant les années où tu en as été le responsable ?

ANDRÉ BRASSARD. Généralement, ce sont les élèves à problèmes, comme Miro ou Patrick Yvon, des élèves qui ont beaucoup de difficulté à fonctionner parce qu'ils ont l'instinct de garder leur individualité alors que (et c'est épouvantable), dès que tu entres à l'École, tu n'es plus un individu : tu es un première année, tu es un deuxième année et tu prends la couleur du groupe. Il y a des années où la chimie est plus facile à établir entre les individus. Peut-être parce que les individus ont davantage de maturité et qu'ils sont conscients de leur place dans le monde. Pour ma part, j'ai fait l'erreur de vouloir développer le moi et ça a eu comme résultat de développer les egos. C'était une grosse erreur. C'était compliqué, pour moi, de dire que l'obéissance était une qualité. Mais dans une école, l'obéissance est nécessaire.

WAJDI MOUAWAD. Comment as-tu fait pour leur enseigner l'obéissance alors que toi-même tu ne la supportes pas ?

ANDRÉ BRASSARD. « Faites ce que je dis ; ne faites pas ce que je fais. » Tu leur expliques que l'École est un endroit particulier, inscrit dans un moment, pour un temps, qui a ses règles, des règles qui doivent être suivies, malheureusement.

WAJDI MOUAWAD. Est-ce que l'École t'a changé ?

ANDRÉ BRASSARD. Pas beaucoup. Quand on a voulu que je devienne plus « sérieux », plus « directeur », je suis tombé malade. La maladie m'a permis de ne pas obéir, encore une fois, mais c'est vrai que c'est cher payé.

WAJDI MOUAWAD. J'ai le sentiment qu'un changement s'est amorcé suite aux rénovations du Monument-National, un théâtre dont l'École nationale est propriétaire. Ce théâtre, avant ses rénovations, était un instrument d'apprentissage absolument magnifique, dans la mesure où l'on pouvait en faire ce que l'on voulait. On avait la possibilité de le tagger, de le trouer, de le clouer, et cet esprit, ce sentiment que l'on avait de pouvoir s'accaparer les outils pour créer, habitait toute l'École. Lorsque le Monument a été rénové, on ne pouvait plus faire n'importe quoi. Les créations devaient s'adapter à lui et non plus lui aux créations. C'est un grand changement d'un point de vue strictement académique. Ma classe a été la dernière promotion à présenter un spectacle dans l'ancien Monument. Lorsque j'y suis revenu quatre ans plus tard comme metteur en scène pour diriger un exercice de quatrième année, il n'y avait plus la possibilité de déborder du cadre. C'était dommage mais, dans une autre mesure, les conditions se rapprochaient davantage de la réalité.

ANDRÉ BRASSARD. C'est quoi la réalité ? La réalité de certains administrateurs qui exigent que l'on soit propres pour pouvoir par la suite louer l'espace à des clients ? Les rénovations du Monument-National se sont faites à la condition que l'École ne soit plus la seule occupante du lieu pour que celui-ci soit mis à la disposition du milieu. C'est donc devenu une salle de diffusion. On ne peut plus y dispenser des cours. C'est toujours la même chose : on crée une machine pour créer, puis la machine devient tellement importante que ce qu'on veut faire devient moins urgent que les soins exigés par la machine. Tu achètes un char pour te transporter, mais ton char est tellement chic, tellement beau, tu l'aimes tellement que tu passes tes journées à t'en occuper. Tu ne te promènes plus : tu astiques. C'est souvent ce qui arrive. Le P.Q., sur la fin de son règne, a tant manqué de confiance qu'il s'est mis à faire des commissions et des comités, signe que ceux qui le dirigeaient n'avaient plus les couilles de prendre des décisions claires, de dire : « C'est ça qu'on fait et si vous n'êtes pas contents, vous nous débarquerez l'année prochaine. »

WAJDI MOUAWAD. Penses-tu que René Lévesque a perdu courage le soir du référendum de 1980 ?

ANDRÉ BRASSARD. Il a su garder sa noblesse malgré tout. Lévesque ne se sentait pas le droit d'imposer l'indépendance, mais il espérait convaincre. Pour cela, il lui aurait fallu vivre 300 ans. Convaincre, c'est toujours beaucoup plus long. Décréter, ça va vite. Mais pour convaincre il te faut comprendre et comprendre est une arme à double tranchant. Comprendre qu'un élève vient de perdre sa mère et qu'il est en train de virer une balloune de deux semaines est une chose complexe pour un directeur d'école. Tu comprends, mais tu ne dois pas accepter, parce que le groupe, la collectivité ne devrait pas souffrir des malheurs d'un individu, autant de sympathie qu'on ait pour lui.

WAJDI MOUAWAD. C'est toute la notion de responsabilité à laquelle les artistes, en général, tentent d'échapper. À tort puisque la compréhension ne te dégage pas de ta responsabilité. Elle se situe peut-être là, la mission de la quatrième année : mesurer notre capacité à nous assumer, à être responsables puisqu'en quittant l'École, c'est la responsabilité de soi qui arrive. Qui es-tu ? Que vas-tu faire ? Quand et comment ?

ANDRÉ BRASSARD. C'est un peu une caractéristique de la génération des baby-boomers (notre belle génération) de « lâchement » dire non à la responsabilité du pouvoir.

WAJDI MOUAWAD. Aujourd'hui, tu n'es plus directeur de l'École. Malgré cela, lorsque tu penses aux générations qui vont nous suivre, celle des enfants d'aujourd'hui et celle de leurs enfants, es-tu inquiet pour eux ou as-tu espoir qu'ils vont rendre le monde meilleur ?

ANDRÉ BRASSARD. S'ils se dépêchent avant que la planète soit trop fuckée, oui, il reste de l'espoir ! Le problème, c'est qu'ils ont moins de temps qu'on en a eu.

WAJDI MOUAWAD. Qu'est-ce qui, chez eux, te redonne espoir ?

ANDRÉ BRASSARD. Aller dans un petit théâtre pour voir la mise en scène d'un nouveau texte. Assister à leur désir de théâtre. Les voir se présenter dans les écoles. Devant ce mouvement qui se poursuit, je me dis : « Il y a des gens qui sont prêts à réinventer le monde. » L'un ou l'une d'entre eux saura avoir une influence. Oui, une influence. Saura transmettre le feu.

WAJDI MOUAWAD. Qu'est-ce qui t'inquiète ?

ANDRÉ BRASSARD. L'argent, l'argent qui devient un concurrent malhonnête.

WAJDI MOUAWAD. De quelle manière ?

ANDRÉ BRASSARD. C'est dur de ramener au théâtre les jeunes acteurs qui, dès leur sortie de l'École, sont engagés dans une série télé. S'ils aiment ça et font de bons salaires, ils ne voient pas pourquoi ils se feraient chier pendant 200 heures à répéter, à jouer 30 fois pour un salaire dérisoire. Ça fausse la perspective, surtout depuis que tout un système fait miroiter l'illusion de la facilité. Tout le monde peut être une vedette, mais tout le monde ne peut pas être un artiste, même si on a tendance à confondre les deux. La perversité de l'Argent et de la Gloire fait perdre de vue l'essentiel de ce métier-là, qui est de parler du monde au monde, directement. Le théâtre est le seul endroit où des humains sont en face d'autres humains avec l'espoir qu'il pourrait se passer quelque chose entre eux.

L'enregistreuse s'arrête. Wajdi et Sophie se lèvent. Rangent leurs affaires. Saluent André et sortent. André reste seul.

10

LA FOURMI ET LE ROCHER

Même lieu. Fenêtres grandes ouvertes. Humidité. Les habits sont
légers. De la rue provient une activité faite de klaxons et de jeux
d'enfants. La lumière encore. Sophie allume l'enregistreuse.

Cigarette à la main, André regarde Wajdi. Wajdi sourit.

Silence.

WAJDI MOUAWAD. Qu'est-ce qu'André Brassard aurait
à dire à propos d'André Brassard qu'aucune de mes
questions ne l'aurait amené à raconter ?

ANDRÉ BRASSARD. Qu'il y a André et qu'il y a Brassard.
Brassard est celui qui s'est développé avec la résilience.
Il y a de cela 10 ans, je me suis rendu compte qu'autant
Brassard avait pris son envol, autant André était resté
en arrière.

WAJDI MOUAWAD. Tous deux ont été guidés par
quoi ?

ANDRÉ BRASSARD. Par le désir d'être aimé, je crois bien.
Je ne veux pas faire de psychanalyse à cinq cennes, mais
Brassard, dès qu'il s'est manifesté, des gens l'ont aimé.
Alors qu'André, ça a été très long. Brassard a douté raison-
nablement mais jamais profondément de sa vocation de
metteur en scène, de sa place au théâtre et dans le monde.
Je n'ai jamais pensé que je pourrais faire autre chose dans
la vie. La position d'André dans l'existence, comparée à
celle de Brassard, est beaucoup plus précaire.

WAJDI MOUAWAD. Il y a deux ans, tu as eu un
accident cérébro-vasculaire, un ACV, dont les séquelles

aujourd'hui te fatiguent et t'épuisent. Qui a été le plus atteint par l'ACV, André ou Brassard ?

ANDRÉ BRASSARD. Tous les deux sont atteints et tous les deux n'aiment pas ça. Mais chacun à sa manière.

WAJDI MOUAWAD. D'où c'est venu, Brassard ?

ANDRÉ BRASSARD. C'est Janine Sutto qui m'a appelé comme ça au départ. Tout le monde a suivi. Ça a pris beaucoup de temps avant qu'on m'appelle André.

WAJDI MOUAWAD. À quoi tu penses, ces temps-ci ?

ANDRÉ BRASSARD. Ma maladie me fait oublier à peu près tout, elle fait passer le reste au second plan. Je ne pense à rien : j'endure ! Je passe à travers les journées sans tomber en réussissant des fois à aller me chercher à manger dans le frigidaire, mais c'est tout.

WAJDI MOUAWAD. Est-ce que tu tentes de t'expliquer cette maladie par des raisons plus spirituelles, plus symboliques ou bien tu la regardes comme une chose froide et dépourvue de sens ?

ANDRÉ BRASSARD. Je sais pas quoi en dire. C'est sans doute quelque chose après quoi j'ai couru inconsciemment. J'ai fait des excès. Mais là, je trouve que la punition excède la faute. Je n'ai pas autant de courage que je voudrais, surtout que la vie m'a gâté et que je n'ai jamais eu de lutte à mener. Pendant trente ans, tout a été relativement facile pour moi alors que je connais des gens de mon âge qui ont autant de talent que moi et qui n'ont pas réussi.

WAJDI MOUAWAD. Tu t'attendais à ce qu'un jour les portes de la prison s'ouvrent pour te laisser passer et retrouver ta situation d'avant ?

ANDRÉ BRASSARD. Un peu. J'avais espéré, après mon ACV, que ça ne durerait pas longtemps et que ça serait une occasion de prendre une année sabbatique. Mais c'est tellement embêtant physiquement, tellement désagréable, que je ne peux pas réfléchir, que j'ai de la misère à lire. Parce que mon épaule est trop lourde. Parce que tout est compliqué. Je ne peux plus sortir. J'ai même de la misère à parler. Je trouve que c'est payer cher. Je me permets d'envier mon ami Jean-Louis Millette qui a eu le bonheur de partir, comme ça, sans s'en rendre compte. J'ai l'impression que je suis un mort en sursis, comme tout le monde, mais qu'à moi le sursis est rappelé tous les jours. Ça me fait prendre conscience, aussi, qu'il n'y a personne qui peut faire quelque chose pour moi, sauf moi. Et ce qui peut être fait ne peut venir que de moi. C'est un constat que je n'aime pas beaucoup parce que je n'ai jamais appris à m'occuper de moi-même, sauf pour me détruire. Mais là, je trouve que c'est un peu fort comme destruction.

WAJDI MOUAWAD. As-tu, parfois, la tentation ou le désir, nomme-le comme tu l'entends, d'en finir d'un coup ?

ANDRÉ BRASSARD. J'ai déjà dit que je ne me suiciderais jamais parce que j'aimais mieux me détruire lentement. C'était une blague qui cachait une certaine vérité, parce que si j'avais été suicidaire, ça ferait au moins deux ans que je serais parti. Mais je suis incapable de penser au suicide.

WAJDI MOUAWAD. Est-ce que le fait que tu n'y songes pas t'amène à vouloir faire des projets, ou bien la maladie dévore-t-elle tout ?

ANDRÉ BRASSARD. Le carcan qui m'est imposé est tellement lourd que je peux même pas penser à me recycler dans autre chose. Alors, parfois, je suis habité par l'impression que mon existence a suffisamment été remplie, que j'ai fait ce que j'avais à faire sur la Terre et que je n'ai pas été un mauvais élève. Pour mon bulletin, je me donne 75 %.

WAJDI MOUAWAD. Tu as parlé de punition, et maintenant tu parles d'une note respectable. Qui est le puni, qui le récompensé, entre André et Brassard ? Qui est le méchant ?

ANDRÉ BRASSARD. C'est André, le méchant. C'est souvent André qui prenait de la coke. Brassard n'en avait pas besoin. Brassard était capable de dealer avec le monde. Mais André, tout seul, le soir après une journée de travail, il se récompensait. Il était un peu fucké parce qu'il se récompensait en se détruisant.

WAJDI MOUAWAD. Et lequel des deux a été applaudi au Gala des Masques ?

ANDRÉ BRASSARD. C'est Brassard.

WAJDI MOUAWAD. Lorsque je t'ai demandé la différence entre la tragédie et le drame, tu m'as répondu que la possibilité de changer les choses définissait le drame tandis que la tragédie procéderait de l'inéluctable. Est-ce que je pourrais dire alors qu'André est plus intéressé par le drame et Brassard, par la tragédie ?

ANDRÉ BRASSARD. Ça serait peut-être pousser le bouchon un peu loin, mais ça serait peut-être pas faux.

WAJDI MOUAWAD. À quoi tu rêves, dans tes rêves endormis ?

ANDRÉ BRASSARD. Pendant longtemps j'ai rêvé à l'École. L'École reste, pour moi, un lieu essentiel. Je rêve que je ne reconnais pas les lieux et qu'on ne me reconnaît pas. Les premières fois où j'ai travaillé à l'École comme pigiste, entre 1969 et 1990, j'avais une production extérieure très abondante, j'étais une vedette et tous les jeunes comédiens savaient qui j'étais et ce que je faisais. J'avais une crédibilité. J'étais un employeur éventuel. Au cours des dernières années, comme je produisais moins à l'extérieur, je me suis demandé si j'existais encore. C'est tout.

WAJDI MOUAWAD. Est-ce que dans tes rêves tu es malade ?

ANDRÉ BRASSARD. Non, non, non ! Ben non ! On rêve, crisse ! Je fais des rêves assez sympathiques. Des rêves où je me retrouve dans des endroits que je ne connais pas et où je rencontre plein de gens. Je dis toujours : « Ah ! Il faut que je m'en aille ! » En me dirigeant vers la porte, je m'arrête. Je ne sors jamais, je me laisse intéresser par toutes sortes de choses. Un voyage tranquille.

WAJDI MOUAWAD. Est-ce que tu arrives tout de même à t'intéresser au théâtre comme tu t'y intéressais dans les années 1960 lorsque tu allais tout voir, tout disséquer, tout refaire et tout remonter ? Est-ce que tu trouves intéressant le théâtre qui se fait aujourd'hui ?

ANDRÉ BRASSARD. Depuis que je suis malade, je ne sors presque plus et je ne peux pas porter de jugement. Je n'ai rien vu. Je ne peux pas.

WAJDI MOUAWAD. Est-ce que tu en voyais beaucoup avant ton accident ?

ANDRÉ BRASSARD. Non, je n'étais pas très au courant. L'École me prenait tellement que, dès qu'il y avait une soirée de libre, je me disais : « Ah ! fuck le théâtre ! » Avant, j'allais beaucoup au théâtre, mais, à un moment donné, j'ai arrêté parce que j'étais tanné. Le théâtre est difficile à aimer parce que ce n'est pas toujours réussi, ce n'est pas toujours bon. Il faut que tu aimes la tarte aux pommes en maudit pour endurer celle du restaurant du coin sans finir par te dire : « Toutes les tartes aux pommes goûtent pareil. » C'est un peu ça. Peut-être parce que j'attends trop. Peut-être parce que j'attends une illumination. Peut-être parce que j'attends de voir quelque chose d'important, de rencontrer du monde qui ne m'ont pas fait me déplacer juste pour me montrer qu'ils sont fins. Même si je peux comprendre cette nécessité dans un processus évolutif.

WAJDI MOUAWAD. Est-ce qu'il y a un spectacle, dernièrement, que tu as aimé ?

ANDRÉ BRASSARD. Il y a eu *La Face cachée de la lune*. Je crois qu'avec ce spectacle, Robert Lepage est parvenu à maîtriser les bebelles qui le dépassaient souvent. J'ai une admiration infinie pour ce gars-là. Il a réussi à s'organiser pour faire du théâtre à son goût, pour travailler à sa façon, comme il croyait juste de le faire. Il faut beaucoup de courage.

WAJDI MOUAWAD. Savais-tu que tu es dans *Le Petit Robert* des noms propres ?

ANDRÉ BRASSARD. Je suis dans *Le Petit Robert* ? !

WAJDI MOUAWAD. Sous « Michel Tremblay ».

ANDRÉ BRASSARD. Ah ben oui ! Ben sûr !

WAJDI MOUAWAD. On trouve : « Michel Tremblay : écrivain canadien. Son œuvre d'auteur dramatique a totalement renouvelé le théâtre québécois. Bien qu'il ait commencé à dix-sept ans en écrivant *Le Train*, c'est la création en 1968 des *Belles-Sœurs*, par son metteur en scène attitré André Brassard, qui l'a vraiment imposé. »

ANDRÉ BRASSARD. C'est ça ! Son metteur en scène : son épouse, oui. C'est toujours pareil. Je comprends des fois que les femmes soient tannées de se faire présenter : « Voici mon épouse. » Comme si t'avais pas d'existence propre. Je suis toujours présenté comme le gars qui monte les pièces de Tremblay.

WAJDI MOUAWAD. Ce qui en soi n'est pas faux.

ANDRÉ BRASSARD. Ce qui en soi n'est pas faux… C'est un grand privilège pour un metteur en scène d'avoir un auteur qui lui propose des défis qui ne sont jamais les mêmes. Mais il y a également un risque dans le fait de penser qu'on connaît un auteur. J'essaie toujours d'être le plus vierge possible, mais l'inconscient joue parfois des tours. Faire de la création, monter des nouveaux textes, c'est, pour le metteur en scène, une responsabilité très lourde, parce que rares sont les gens qui assistent à la représentation qui savent faire la différence entre le travail de l'auteur et celui du metteur en scène. J'ai monté une pièce de Ducharme (*Le Marquis qui perdit*) dans les années 1970 et je l'ai complètement ratée. C'est-à-dire que je ne l'ai pas assez réussie pour que ça plaise. Quand je ne parviens pas à communiquer au public le plaisir que j'ai pour un texte, je crois que j'ai mal fait mon travail. Et si, en plus, comme dans le cas de Ducharme, l'auteur déclare qu'il n'écrira plus jamais pour le théâtre, c'est dur. C'est sans doute ce qui m'a poussé à monter des textes du répertoire, où la responsabilité est plus claire et la liberté, plus grande. Les textes de Shakespeare, de Tchekhov, de Racine sont connus. Ils ont déjà une existence propre. Si tu décides de les faire jouer en patins à roulettes, dans une piscine ou dans un espace intergalactique, c'est ta responsabilité à toi. Personne n'accusera Shakespeare d'avoir écrit une pièce de science-fiction.

WAJDI MOUAWAD. Si tu avais éventuellement à revenir sur Terre, sous quelle forme aimerais-tu revenir ?

ANDRÉ BRASSARD. Un rocher, pour me permettre d'être inerte une fois pour toutes et pour des milliers d'années.

WAJDI MOUAWAD. Et si tu avais à t'associer à un animal, ce serait lequel ?

ANDRÉ BRASSARD. La fourmi.

WAJDI MOUAWAD. Pourquoi la fourmi ?

ANDRÉ BRASSARD. Parce qu'il n'y a pas d'ego chez la fourmi. Et lorsque je prie (quand ça m'arrive de prier), je dis au bon Dieu : « Pèse sur le piton pour donner une chance aux fourmis. Détruis la race humaine. La recette est pas bonne. » Quand tu fais un gâteau, si tu as mis trop de farine, ça ne sert à rien, ça ne lèvera pas. Le bon Dieu s'est trompé. Le ver est dans la pomme depuis le début. L'être humain est mal fait. Il a en lui trop d'insécurité et donc de violence. Beaucoup d'horreurs viennent de notre incapacité à dealer avec nos insécurités. Subodorant en nous une violence, on la suppose chez les autres.

WAJDI MOUAWAD. Par exemple ?

ANDRÉ BRASSARD. Un soir, avant une première, Tremblay me dit, très nerveux comme toujours : « J'ai l'impression que ce soir les 800 personnes qui sont dans la salle sont venues m'haïr. » Les deux bras me tombent. Je rentre chez nous et le lendemain, je lui dis : « Cou- donc ! T'es ben plein de marde, toi ! T'es le seul être humain au monde que je connais qui est allé au théâtre pour haïr un spectacle ! » (Parce que c'était un sport qu'on pratiquait quand on était jeunes.) J'ai compris ce jour-là que ce que l'on pense des autres, c'est généra- lement ce que l'on pense de soi. Comme c'est rare qu'on ait de l'estime pour nous-mêmes, c'est normal qu'on n'ait pas d'estime pour les autres. Parfois, il me prend l'envie de voir s'abattre une catastrophe pour qu'on n'ait pas d'autres choix que d'être solidaires, mais vraiment. Une crisse de grosse claque sur la gueule pour réveiller la race humaine avant qu'il soit trop tard.

WAJDI MOUAWAD. Tu ne crois pas que la claque, nous la recevons tous les jours ? Que le quotidien, avec sa banalité et sa difficulté, nous l'assène à chaque instant ? Les gens, souvent, sont fatigués, épuisés, bouleversés, tristes.

ANDRÉ BRASSARD. Nous sommes bouleversés parce que la claque nous vient de nous-mêmes. Au Québec, on n'a jamais connu la guerre. Nous n'avons jamais subi l'épreuve du feu, celle qui nous révèle à nous-mêmes. On a été protégés, alors que le maccarthysme, par exemple, a forcé les Américains à prendre position. Ça nous est presque arrivé au moment du premier référendum, mais nous avons esquivé le débat. Il faudrait une catastrophe naturelle pour nous forcer à faire des choix. Mais, là encore, il y aura de tout. Des actes héroïques et des actes épouvantables. Comme si l'humanité se réinventait avec toutes ses qualités et tous ses défauts. Mais le temps s'est inversé. Au début du XXᵉ siècle, l'être humain ne pouvait pas détruire plus vite que la nature reconstruisait. Puis, à partir des années 1950, la science a permis de détruire plus vite que la reconstruction. On prend les richesses de la Terre et on s'en câlisse qu'il n'y ait plus rien dans 50 ans parce qu'on ne sera plus là. C'est tellement égoïste. C'est pour ça que j'envie les fourmis qui n'ont pas l'ego que nous avons.

WAJDI MOUAWAD. Il y a une forme de haine de soi qui brûle dans tout ce que tu dis.

ANDRÉ BRASSARD. La haine, je ne sais pas. Pas l'amour de soi, en tout cas…

WAJDI MOUAWAD. Est-ce que tu crois que l'art est une entreprise d'élévation ?

ANDRÉ BRASSARD. Mon désir d'élévation a été réglé il y a longtemps. Je n'y ai pas accès. Dans une entrevue, on m'a demandé c'était quoi pour moi la beauté. J'ai répondu que c'était ce à quoi je n'avais pas accès. Parce que je ne me trouve pas beau.

WAJDI MOUAWAD. Mais tu es tout de même en mesure de reconnaître la beauté.

ANDRÉ BRASSARD. Dans une pièce de Genet, il y a le beau gosse, un soldat, qui fait perdre tous ses moyens au lieutenant. J'aurais dû trouver un acteur qui me trouble au point de ne pas pouvoir travailler avec lui. J'en ai pas trouvé. J'ai coupé le personnage. Ou le trouble est vrai et profond, ou le trouble est joué, ce qui n'est pas intéressant.

WAJDI MOUAWAD. Est-ce qu'on doit à un moment donné arrêter de faire de la mise en scène ?

ANDRÉ BRASSARD. La faire d'une autre manière. Au début, la faire par-dehors. Imposer des images. On vieillit et on passe à suggérer. La suggestion oriente la pensée sans la forcer.

WAJDI MOUAWAD. Est-ce qu'il y a quelque chose que tu as envie de dire ?

ANDRÉ BRASSARD. Je suis en train de me reprendre en main et j'espère que ma santé s'améliorera assez pour réaliser certains de mes rêves. Beckett, Racine, Tchekhov pour trouver l'équilibre. *Les Anciennes Odeurs* de Tremblay et toujours *Les Bonnes*. Marivaux, bien sûr. Brecht. *Le Vol rose du flamant*. Toutes les pièces qui existent et que je ne connais pas, que j'espère connaître un jour, et toutes les pièces qui sont en train de s'écrire.

WAJDI MOUAWAD. Tu as encore le désir de créer ces spectacles ?

ANDRÉ BRASSARD. Oui, et de plus en plus. Si je suis condamné à vivre, je ne peux pas ne pas vouloir monter de spectacles. J'ai pris des mesures pour quitter ma passivité inerte. Je vais voir si je peux vivre, parce que vivre « un peu », pour moi, ça ne se peut pas.

WAJDI MOUAWAD. Ma dernière question est simple. Tu te lèves un matin, difficilement, tu es ici, au milieu de la pièce, et là, devant toi, il y a l'enfant que tu as été. Que lui dis-tu ?

ANDRÉ BRASSARD. J'ai déjà rêvé à ça, mais je ne te raconterai pas ce rêve… Je lui dirais qu'il peut tout faire. Peut-être que je lui dirais « je t'aime ». Dans la vie, les gars que j'ai aimés étaient des gars qui me ressemblaient. Des psychologues m'ont expliqué que c'était une manière de me donner de l'amour par personne interposée. Parfois, je me demande ce qui serait arrivé si je m'étais trouvé beau. Quand je me suis vu, dernièrement, dans un film à 17 ans, je me suis trouvé cute. Mais je ne le savais pas à l'époque. Personne ne me le disait.

WAJDI MOUAWAD. Tu étais le méchant.

ANDRÉ BRASSARD. J'étais le méchant, oui.

L'enregistreuse s'arrête. Silence. Silence. Silence.

Wajdi et Sophie se lèvent.
Ils rangent leurs affaires.
André les regarde.
Wajdi approche et embrasse André.
Sophie approche et embrasse André.
Wajdi et Sophie sortent.
La porte se referme.
André reste seul.
Bruit d'activités incessantes dans la rue.

DERNIÈRE IMAGE

Sur une scène vide, un p'tit cul de sept, huit ans, engoncé dans un trench coat trop grand pour lui et la tête recouverte d'un chapeau qui lui descend presque jusqu'au nez, les deux mains dans les poches, essaie de répéter : « Je suis le méchant ! »

Lentement, de l'autre côté de la scène, entre un vieux clown bedonnant, presque chauve, à la démarche hésitante, qui pousse un chapeau du pied. Le p'tit cul le regarde. Le vieux clown se penche pour essayer de ramasser son chapeau, mais – magie du cirque ! – il donne un coup de pied dessus qui l'envoie hors de portée. Il s'avance donc péniblement et recommence son jeu sous le regard intrigué, puis peut-être attendri, du p'tit cul.

Les années passent, le clown essayant sincèrement d'attraper son chapeau mais, consciemment ou inconsciemment, le repoussant d'un coup de pied. Il n'est pas fou, le vieux clown. Il sait que le jour où il ramassera son chapeau et le mettra sur sa tête, le spectacle sera fini et il devra quitter la scène.

Et toute une vie se passe ainsi. Le vieux clown a de plus en plus de difficulté à faire son numéro, mais comme le p'tit cul le regarde (et peut-être le public, sait-on jamais ?), il continue avec acharnement. On croit même à un moment donné qu'il n'aura plus la force, ni de donner son coup de pied, ni de recommencer, et qu'il restera figé sur scène, la tête nue et le chapeau par terre.

Mais c'est bien mal connaître le vieux clown. Plus lentement qu'avant, il reprend son jeu puéril et peut-être absurde. Et il continuera ainsi jusqu'à ce que le p'tit cul puisse sourire…

Et un jour, peut-être, André sourira.

Noir.
Rideau.
Applaudissements facultatifs.

Merci, tout le monde (particulièrement Wajdi et Sophie).

ANDRÉ BRASSARD

TABLE

OUVRAGE RÉALISÉ PAR
LUC JACQUES, TYPOGRAPHE
ACHEVÉ D'IMPRIMER
EN SEPTEMBRE 2004
SUR LES PRESSES DE
MARC VEILLEUX IMPRIMEUR INC.
BOUCHERVILLE
POUR LE COMPTE DE
LEMÉAC ÉDITEUR, MONTRÉAL

DÉPÔT LÉGAL
1re ÉDITION : 3e TRIMESTRE 2004
(ÉD. 01 / IMP. 01)